LADY FANTÔME

WILLIAM IRISH

LADY FANTÔME

LES CLASSIQUES DU CRIME

Traduit par M. B. Endrèbe

ISBN 2-8302-0103-5

16 369 002 (3)

I

LE 150e JOUR AVANT L'EXÉCUTION

SIX HEURES DU SOIR

La nuit était jeune encore, et lui aussi. Mais la nuit était douce et il était furieux. Cela se voyait de loin, à son air renfrogné. Il était en proie à une de ces colères rentrées, qui ne s'extériorisent pas, mais durent parfois pendant des heures. Et c'était vraiment dommage car, autour de lui, tout était à la joie.

Une soirée de mai, à l'heure des rendez-vous, l'heure où une moitié de la ville s'habille et se farde avec soin pour rejoindre l'autre moitié qui lisse ses cheveux et regarnit son portefeuille. Et partout, dans les restaurants, les bars, les halls d'hôtel, sous les horloges, au coin des rues, partout c'était la même antienne : « Me voici ! Je ne t'ai pas fait attendre trop longtemps ? » « Que tu es belle ! Où allons-nous ? »

A l'ouest, le ciel lui-même semblait s'être fardé de rouge et avoir choisi deux étoiles plus brillantes que les autres pour servir de clips à sa robe bleu-nuit. Les enseignes au néon adressaient des clins d'œil aux passants, tout le monde allait quelque part ; l'air qu'on respirait à cette heure-là était du champagne vaporisé, avec un rien de

Chanel pour le singulariser et, si vous n'y preniez garde, il vous montait à la tête... à moins qu'il ne vous grisât le cœur.

Indifférent à tout cela, il avançait avec sa mine renfrognée et, en le croisant, les gens se demandaient ce qu'il pouvait bien avoir. Ce n'était sûrement pas sa santé qui le tracassait. Il suffisait de le voir pour s'en convaincre. Et la nonchalante élégance de ses vêtements disait clairement qu'il comptait au nombre de ceux n'ayant point de soucis d'argent. Ce n'était pas son âge non plus, car il n'avait sûrement pas plus de trente ans. Et il aurait été fort bel homme, s'il avait pris une expression un peu plus amène.

Primitivement, il n'avait pas eu l'intention d'entrer là. Cela se vit à la façon dont il freina — c'était vraiment le mot — devant la porte du bar. Peut-être n'y aurait-il même pas prêté attention si l'enseigne intermittente qui annonçait *Chez Anselmo*, au moment où il passait, n'avait brusquement inondé le trottoir de rouge géranium. Mais il entra.

Il se trouva dans une sorte de long couloir, bas de plafond. De chaque côté, il y avait des boxes minuscules, et sur le tout régnait un éclairage indirect, ambré, très reposant. Ce n'était pas bien vaste et les clients y étaient rares.

Il alla droit au comptoir en demi-cercle qui, adossé au mur du fond, faisait face à l'entrée. Il posa son léger pardessus sur un des tabourets, le surmonta de son chapeau, et se percha sur le tabouret voisin sans regarder ni à droite ni à gauche. Il entrevit vaguement une veste blanche dans son rayon visuel tandis qu'une voix disait :

— Bonsoir, monsieur.

— Scotch.

En s'asseyant, il avait dû, inconsciemment, repérer un bol de bretzels, sur lequel il abattit sa main sans même regarder. Ses doigts rencontrèrent non point la forme torturée d'un bretzel, mais quelque chose de lisse et de doux. Tournant la tête, il retira sa main qui s'était posée sur une autre main ayant eu le même geste que la sienne mais un instant plus tôt.

— Excusez-moi, dit-il. Après vous.

Il avait de nouveau détourné la tête, mais il se ravisa et lui accorda un deuxième regard. Après ça, il ne la quitta plus des yeux.

Ce qu'elle avait de frappant, c'était son chapeau. Il ressemblait à une citrouille, non seulement par sa taille et sa forme, mais aussi par sa couleur qui faisait presque mal aux yeux. Ce chapeau semblait éclairer tout le bar, à la façon d'une lanterne japonaise. De son centre, très exactement, jaillissait une longue plume mince, qui faisait penser à une antenne. Il n'y avait pas une femme sur mille qui aurait pu supporter cette couleur mais, elle, on pouvait même dire que ça lui seyait. Ainsi coiffée, elle faisait un effet surprenant, mais élégant, pas ridicule. Pour le reste, elle était vêtue de noir, si discrètement qu'on finissait par ne plus voir que son chapeau. Peut-être celui-ci était-il pour elle une sorte d'emblème, un symbole de libération ? Peut-être signifiait-il : « Quand j'ai ce chapeau, prenez garde : je suis prête à toutes les audaces ! »

Pour l'instant, elle se contentait de grignoter un bretzel, en feignant de ne pas remarquer l'examen attentif auquel il la soumettait. Quand il quitta son tabouret pour se rapprocher d'elle, elle s'interrompit simplement de manger, en inclinant à peine la tête, comme pour lui faire comprendre : « Si vous voulez me parler, je ne vous en empêcherai pas. Mais ce que je ferai ensuite dépendra de ce que vous avez à dire. »

Ce qu'il lui dit fut net, simple et direct :

— Avez-vous des projets pour la soirée ?

— Oui et non.

Ça n'était ni une rebuffade ni un encouragement, et aucun sourire n'accompagnait cette réponse. Une femme bien élevée, une femme comme il faut, de toute évidence.

Lui-même déclara courtoisement :

— Je n'ai pas l'intention de vous importuner. Si vous avez déjà un engagement pour la soirée, dites-le moi.

— Vous ne m'importunez pas... pour l'instant.

Elle lui signifiait clairement que sa décision était encore dans la balance.

Il tourna les yeux vers la pendule qui surmontait les bouteilles, en face d'eux :

— Regardez, il est six heures dix maintenant.

— Oui, fit-elle, sans se compromettre autrement.

Il avait sorti son portefeuille et en extirpait deux morceaux de papier saumon.

— J'ai deux bons fauteuils pour le Casino. Rangée AA, au bord de l'allée. Ça vous plairait-il d'en profiter avec moi ?

— Vous allez vite, fit-elle en le regardant bien en face.

— Si vous n'êtes pas libre, dites-le, et je tâcherai de trouver quelqu'un d'autre.

— Vous tenez absolument à utiliser ces billets ? fit-elle, tandis qu'une étincelle d'intérêt s'allumait dans son regard.

— Oui, c'est une question de principe, répondit-il, morose.

— Ma foi, dit-elle en pivotant légèrement sur son tabouret, j'ai toujours eu envie de faire quelque chose comme ça. Autant que ce soit maintenant. L'occasion pourrait ne pas se représenter avant longtemps... du moins, de cette façon.

— Alors, voulez-vous que nous convenions d'une chose tout de suite ? Cela simplifiera la situation, quand la représentation sera terminée.

— Tout dépend de la chose.

— Eh bien, nous serons juste deux compagnons. Deux personnes qui dînent ensemble, vont au spectacle ensemble. Pas de noms, pas d'adresses, pas de détails personnels...

— Ça me paraît une excellente idée. On peut réussir ça en faisant attention et en mentant au besoin, dit-elle en lui tendant la main pour conclure le pacte. Elle sourit pour la première fois : un sourire charmant, mais plein de dignité. Rien de provoquant.

Il fit signe au barman, voulant payer les deux consommations, mais elle lui dit :

— Non, moi, c'est déjà fait. Je m'attardais simplement encore un peu quand vous êtes entré.

Le barman sortit un bloc de sa poche, inscrivit « 1 Scotch : 0,60 », détacha le feuillet, le lui présenta. Tout en payant, il vit que ces feuillets étaient numérotés et qu'un 13, bien noir, marquait le sien. Il eut un sourire en coin et suivit sa compagne qui se dirigeait déjà vers la sortie. Il vit une jeune femme qui se trouvait avec un homme dans un des boxes suivre du regard l'étonnant chapeau.

Il fit signe à un taxi qui était en stationnement un peu plus loin. Un autre chauffeur, qui passait, voulut ravir la course à son collègue mais celui-ci arriva néanmoins le premier. Les ailes faillirent s'érafler et le chauffeur en maraude préféra continuer son chemin sans plus attendre. Elle s'installa sur la banquette, tandis qu'il disait au conducteur, encore indigné : *Maison Blanche*.

A l'intérieur du véhicule, le petit plafonnier était allumé et ils le laissèrent ainsi, pour que cela fît moins intime peut-être. Il l'entendit émettre un léger rire et, suivant la direction de son regard, sourit à son tour. Les photos d'identité sont rarement jolies, mais celle du chauffeur, affichée réglementairement à l'intérieur du taxi, était une véritable caricature : oreilles écartées, menton rentré, yeux exorbités. Et le nom convenait à merveille au portrait : *Al Alp*.

La *Maison Blanche* était un restaurant du genre « éclairages tamisés » dont la cuisine était renommée. On y venait pour bien manger, et ni musique ni attractions ne vous détournaient de ce projet.

A l'entrée, elle se sépara de lui :

— Excusez-moi un instant... il me faut réparer les ravages du temps. Mais ne m'attendez pas... Allez vous asseoir... je saurai bien vous trouver.

Tandis que la porte des lavabos s'ouvrait électriquement devant elle, il la vit lever les deux mains vers sa nuque, comme pour retirer le chapeau, mais la porte l'escamota avant qu'elle eût achevé son geste. Sans doute préférait-elle entrer seule et sans chapeau, de façon à moins attirer l'attention.

— Un seul couvert, monsieur ? demanda le maître d'hôtel en l'accueillant au seuil du restaurant.

— Non, j'ai retenu une table pour deux, répondit-il en donnant son nom : Scott Henderson.

C'était la seule table encore vacante. Elle se trouvait dans un creux du mur, si bien que ses occupants ne pouvaient être vus que de face et non de côté.

Quand elle entra dans la salle, sans son chapeau, Henderson fut stupéfié de constater tout ce que ce dernier lui avait apporté. Elle n'était plus qu'une femme en noir, avec des cheveux foncés, quelque chose qui se déplaçait, rien de plus. Ni laide, ni jolie, ni grande, ni petite, ni élégante, ni mal fagotée : juste quelconque, anodine, incolore. Elle n'attira pas un seul regard sur son passage et le maître d'hôtel, momentanément occupé ailleurs, ne se trouvait pas à proximité pour lui indiquer la table, mais Henderson se leva et elle le vit.

Elle tenait le chapeau à bout de bras, le long de sa jupe, et elle le posa sur la troisième chaise se trouvant à leur table, en rejetant sur lui un pan de la nappe, sans doute pour lui éviter d'être taché.

Tandis qu'il ordonnait le menu sans la consulter, Henderson remarqua que leur serveur avait une verrue au menton. Quand il eut terminé, elle hocha approbativement la tête. La conversation s'engagea avec difficulté, parce qu'il était convenu de passer sous silence tout ce qui pouvait être personnel. Ce fut elle qui fit tous les efforts : lui ne l'aida guère. Bien qu'il parût écouter ce qu'elle disait, il avait visiblement l'esprit ailleurs. De son côté, elle avait été longue à retirer ses gants. Le droit d'abord puis, comme à regret, le gauche. Il fit mine de n'avoir pas vu l'alliance, mais elle ne fut pas dupe.

Elle parlait avec aisance, réussissant à respecter les règles qu'ils s'étaient imposées, tout en évitant la banalité du temps qu'il faisait, de ce qu'elle avait lu dans le journal, ou de ce qu'ils mangeaient.

— Cette Mendoza que nous allons voir ce soir, au Casino, n'avait pour ainsi dire pas d'accent quand elle a débuté ici, voici un an ou deux. Maintenant, à chacune de ses rentrées, elle semble savoir de moins en moins l'anglais. Encore une saison, et elle parlera l'espagnol le plus pur !

Il esquissa un sourire. C'était indéniablement une femme cultivée. Seule une femme cultivée pouvait s'être lancée dans cette aventure sans tout gâcher, d'une façon ou de l'autre. Elle conservait parfaitement ses distances : ni trop loin ni trop près. Mais, d'un autre côté, si elle avait été un peu plus ceci ou un peu plus cela, elle aurait eu davantage de relief. Si elle avait été un peu moins bien élevée, elle aurait eu le piquant, le laisser-aller d'une parvenue. Si elle l'avait été un peu plus, elle serait devenue brillante et, partant, mémorable. Telle quelle, elle ne semblait guère avoir que deux dimensions, sans aucune profondeur.

Vers la fin, il la surprit à examiner sa cravate :

— La couleur ne vous plaît pas ? demanda-t-il.

C'était une cravate unie, sans dessins.

— Non, elle est bien en soi, dit-elle aussitôt, mais ne s'accorde pas avec le reste.

Il regarda sa cravate, comme s'il ne savait pas au juste laquelle il avait mise et parut presque surpris de découvrir que c'était celle-là. Il remédia un peu au manque d'harmonie qu'elle lui avait signalé en enfonçant dans la poche, hors de vue, le mouchoir de couleur qui ornait le haut de son veston.

Quand ils partirent, elle attendit d'être dans le hall du restaurant pour remettre son chapeau. Instantanément, elle parut reprendre vie, redevenir quelqu'un, et Henderson s'émerveilla de la transformation. C'était comme lorsqu'on allume dans une pièce obscure.

Le portier gigantesque qui les accueillit devant le théâtre ressemblait absolument à ceux que l'on voit dans les dessins humoristiques du *New Yorker*. Quand le chapeau lui passa juste sous le nez, ses yeux le suivirent avec un ahurissement comique, que Henderson remarqua pour l'oublier l'instant d'après. Si tant est qu'on oublie jamais quelque chose. La vue du hall désert leur apprit qu'ils étaient nettement en retard. Le contrôleur lui-même allait quitter son poste et ce fut la silhouette anonyme d'une ouvreuse qui les prit en charge à l'entrée de la salle. Sa lampe projetait un ovale lumineux devant leurs pieds, tout en les guidant le long de l'allée.

Leurs places étaient au premier rang, presque trop près, et ils furent un instant avant que leurs yeux s'habituent à l'éclat si proche de la scène. Ils suivirent le déroulement de la revue. Elle riait de temps à autre. Lui se contentait de sourire, d'un air contraint, comme s'il se croyait tenu de le faire. Le bruit, les couleurs, les lumières, atteignirent leur paroxysme, puis les rideaux retombèrent pour l'entracte.

— Voulez-vous sortir fumer une cigarette ? lui demanda-t-il.

— Non, restons ici. Nous n'avons pas été assis aussi longtemps que les autres, dit-elle en relevant le col de son manteau.

Comme il faisait déjà très chaud dans la salle, Henderson pensa que c'était pour éviter qu'on la reconnût.

— Un passe-temps ? s'enquit-elle avec un sourire, après un instant.

Il s'aperçut qu'il avait corné très proprement le coin supérieur de chaque page de son programme et que tous ces petits triangles superposés gonflaient le haut du fascicule :

— C'est une habitude que j'ai depuis des années, expliqua-t-il. Je fais ça comme l'on griffonne. Je ne m'en rends même pas compte.

La porte située sous la scène s'ouvrit, et les musiciens commencèrent à reprendre leurs places dans la fosse de l'orchestre. L'homme de la batterie se trouvait juste devant eux, de l'autre côté de la barrière. Il avait une tête de rat et semblait ne pas s'être risqué au grand air depuis au moins dix ans. Sa peau était tendue sur ses pommettes, ses cheveux huileux faisaient penser à un bonnet de bain mouillé et il avait sous le nez une moustache si minuscule qu'on eût plutôt dit une tache. Il s'occupa d'abord de ses instruments, sans regarder la salle, puis, brusquement, il aperçut le chapeau.

Cette vue parut lui donner un choc, et il demeura comme fasciné, la bouche ouverte, tel un poisson hors de l'eau. Il s'efforça de ne plus regarder, mais le chapeau avait sur lui le même effet qu'un aimant. Henderson se divertit un instant du manège mais, se rendant compte que l'insistance du musicien gênait sa compagne, il lui jeta un tel regard que l'homme, libéré du sortilège, ne s'occupa plus que de sa musique. Mais, à la raideur de sa nuque, à quelque chose dans son attitude, on devinait qu'il continuait à penser au chapeau.

— Je semble lui avoir fait une grande impression ! gloussa-t-elle à voix basse.

— Je crains qu'il ne s'en remette pas de la soirée, répondit-il, de même.

Le rythme de la revue saisit de nouveau la salle et, vers

le milieu du second acte, l'orchestre s'interrompit et posa ses instruments pour faire place à une musique exotique, émanant de la scène même et scandée par les maracas. C'était l'entrée de la vedette : Estela Mendoza, la « sensation » sud-américaine. Un coup de coude de sa voisine alerta Henderson avant qu'il ait eu le temps de découvrir la chose. Il la regarda sans comprendre, puis reporta son attention vers la scène. Les deux femmes avaient déjà conscience du drame qui échappait encore à son esprit masculin.

— Regardez-la! chuchota sa voisine. Heureusement qu'il y a la rampe entre nous, sans quoi elle me tuerait!

De fait, bien qu'elle continuât à arborer un sourire éclatant, les yeux noirs de la vedette se rivaient avec animosité sur l'exacte réplique de son chapeau qu'arborait cette spectatrice du premier rang, à la vue de toute la salle.

— Je m'explique maintenant l'inspiration, si particulière, de ce modèle.

— Mais pourquoi est-elle furieuse? murmura Henderson. J'aurais pensé que ça la flatterait?

— Bien sûr, un homme ne peut pas comprendre. Une femme aime mieux se voir voler tout, plutôt que son chapeau. D'autant que, dans le cas présent, il fait partie de son numéro, constitue sa marque, en quelque sorte. Il a sûrement été copié sans sa permission...

— Une sorte de plagiat, quoi, dit Henderson en observant maintenant la Mendoza avec quelque intérêt.

Son art était des plus simples, comme tout ce qui est véritablement de l'art. Elle chantait en espagnol, mais, même dans cette langue, le niveau intellectuel des paroles était peu relevé :

Chica chica boom boom
Chica chica boom boom

répétait-elle inlassablement, tout en faisant rouler ses yeux, se déhanchant largement à chaque pas qu'elle faisait, et puisant de petits bouquets dans le panier qu'elle portait, pour les jeter ensuite aux spectatrices.

Quand elle eut parcouru la scène dans les deux sens, chaque femme assise dans les deux ou trois premiers rangs eut un bouquet. A la seule et notable exception de celle qui accompagnait Henderson.

— Elle le fait exprès, à cause du chapeau, murmura-t-elle.

Il se produisait, en effet, comme une décharge électrique chaque fois que la Mendoza, scandant le rythme avec ses hanches et ses hauts talons, arrivait à leur hauteur.

— Regardez-moi! murmura la voisine de Henderson.

Elle leva les mains devant son visage, en un geste d'appel qui fut superbement ignoré. Puis elle les tendit à bout de bras.

Sur la scène, les yeux noirs s'étrécirent un instant, puis regardèrent ailleurs. Un bouquet partit vers la salle, mais trois ou quatre fauteuils plus loin.

— Je ne m'avoue pas battue!

Henderson la vit se lever devant son fauteuil et, un sourire radieux sur le visage, les mains tendues, réclamer passivement son dû. Elles s'affrontèrent du regard, par-dessus leurs sourires. Mais la lutte était inégale. La vedette devait maintenir à tout prix cette apparence de gentillesse et de charme qu'elle arborait aux yeux des spectateurs.

Le changement de position de la compagne d'Henderson eut un autre effet. Comme la Mendoza s'en revenait lentement le long de la scène, le projecteur qui l'accompagnait rencontra cet obstacle imprévu, et le résultat fut que les deux chapeaux identiques se trouvèrent brusquement exposés à l'attention générale. Des rires commencèrent à courir dans la salle.

La Mendoza capitula rapidement, pour mettre un terme

à cette odieuse comparaison. Elle lança le bouquet extorqué, avec une petite moue, et l'air de dire : « Oh! je vous avais oubliée? Excusez-moi, ça n'était pas mon intention. » Mais Henderson la devinait pâle de rage sous son maquillage.

La spectatrice se rassit gracieusement en respirant le bouquet et la vedette se rapprocha des coulisses tandis que le battement obsédant de la musique s'atténuait de plus en plus, comme le bruit d'un train qui s'éloigne. Dans la coulisse, une paire de bras masculins, appartenant sans doute au régisseur, se referma autour de la Mendoza dont les poings désespérément crispés, disaient clairement que ça n'était pas pour saluer qu'elle voulait revenir en scène. Il y eut un « noir », puis les projecteurs se rallumèrent sur un autre numéro.

Quand le spectacle se termina, Henderson jeta son programme sur le siège qu'il venait de quitter, mais elle le prit aussitôt et le joignit au sien :

— Comme souvenir, dit-elle.

Dehors, tandis que, à travers la foule, ils se frayaient un chemin en direction d'un taxi, il se produisit un de ces petits incidents comme en ménage le hasard. Elle allait ouvrir la portière quand un mendiant aveugle, qui se trouvait au bord du trottoir, agita sa sébile en implorant la charité. Un remous de foule fit que la jeune femme lâcha la cigarette qu'elle tenait à la main et celle-ci tomba dans la sébile. Son compagnon s'en rendit compte, mais pas elle. Avant que Henderson ait pu intervenir, le mendiant plongea les doigts dans sa sébile et les retira aussitôt avec un petit cri de douleur.

Henderson pêcha la cigarette allumée qu'il jeta dans le caniveau, et glissa un billet d'un dollar dans la main de l'aveugle :

— Pardon, mon vieux, on ne l'a pas fait exprès.

Et voyant que le mendiant soufflait encore sur ses doigts

brûlés, il ajouta un second billet au premier, simplement parce que la chose pouvait apparaître comme une cruelle plaisanterie.

— Merci, dit-elle quand il la rejoignit sur la banquette. Je ne m'étais pas rendu compte.

Le chauffeur attendait des instructions.

— Quelle heure est-il? demanda-t-elle.

— Minuit moins le quart.

— Si nous retournions chez *Anselmo*, boire un dernier verre avant de nous séparer? Comme cela, le cercle serait clos.

Il y avait maintenant beaucoup plus de monde dans le petit bar. Mais Henderson parvint néanmoins à trouver un tabouret libre pour sa compagne à l'une des extrémités du comptoir, contre le mur, et il demeura debout près d'elle.

— Adieu! dit-elle en élevant légèrement son verre. Je suis ravie de cette soirée avec vous.

— Tout le plaisir a été pour moi.

Lui vida son verre, elle n'en but qu'une gorgée.

— Je vais rester encore un petit moment ici, dit-elle pour lui signifier son congé. Bonne nuit... et bonne chance.

Ils se serrèrent brièvement la main, comme on le fait à la fin d'une soirée, entre simples connaissances. Puis, juste comme il allait s'éloigner, elle ajouta :

— Maintenant que vous êtes calmé, pourquoi ne pas retourner vous réconcilier avec elle?

Il la regarda avec surprise.

— J'avais compris presque dès le début, dit-elle posément.

Et ce fut sur ces mots qu'ils se séparèrent. Lui se dirigea vers la sortie, elle revint à son verre. Fin de l'épisode.

Avant de partir, il se retourna et put encore la voir, se détachant sur le mur, la tête penchée, l'air pensif, regardant sans doute son verre.

Dans la nuit extérieure, il emporta la vision du chapeau orange tout au fond de ce couloir aux contours estompés par la fumée des cigarettes, une image de rêve, quelque chose qui n'était pas réel et ne l'avait jamais été.

MINUIT

Dix minutes plus tard, à quelque huit cents mètres de là, Henderson ouvrit avec sa clef la porte de l'immeuble où il habitait.

Il y avait un homme dans le hall, qui semblait attendre quelqu'un mais se tourna vers le mur comme pour ne pas être vu. Henderson passa, sans lui accorder un second regard, et alla presser le bouton d'appel de l'ascenseur. Quand la cabine arriva, il y prit place, referma la lourde porte de fer forgé et pressa le bouton du sixième étage, tout en haut du tableau.

Juste au moment où le hall allait disparaître hors de sa vue, il aperçut l'homme, sans doute las d'attendre si longtemps en silence, qui se dirigeait vers le standard téléphonique de l'immeuble.

Quand il arriva au sixième étage, le silence le plus profond y régnait et, en entrant dans son appartement, Henderson le trouva plongé dans l'obscurité. Pour quelque raison, ce silence et cette obscurité le laissèrent sceptique, et il traduisit ce sentiment par un grommellement, tout en tournant le commutateur du vestibule.

— Marcella! appela-t-il en direction du living-room dont les ténèbres, au-delà de l'arche, demeurèrent inentamées par la clarté provenant du petit plafonnier de l'entrée.

N'obtenant pas de réponse, il lança d'un ton fort peu amical :

— Inutile! Je sais que tu es réveillée. Depuis la rue, j'ai

vu que la fenêtre de ta chambre était éclairée. Mets-toi bien dans la tête que cette comédie ne nous mènera à rien!

Silence.

Grommelant toujours, Henderson entra dans le living-room obscur et se dirigea vers le commutateur qu'il était capable de trouver directement, les yeux fermés.

— Il y a une minute, tu étais réveillée! Et maintenant, tu dors profondément. Tout ça pour gagner du temps?

Le déclic se produisit avant qu'il eût atteint le commutateur et cette clarté inattendue le fit sursauter. Ses doigts étaient encore à quelques centimètres du bouton, que d'autres doigts venaient d'actionner. Le regard de Henderson remonta le long de la manche d'où jaillissait cette main, et découvrit un visage d'homme. La surprise lui fit opérer un quart de tour et, de ce côté-là aussi, il y avait un homme. Achevant de pivoter sur lui-même, Scott Henderson en découvrit un troisième derrière lui.

Ils se tenaient immobiles tous les trois, impassibles comme des statues.

C'était tellement stupéfiant que Scott chercha des repères autour de lui, se demandant soudain s'il ne s'était pas trompé d'appartement. Mais non, il était bien chez lui! Sur le bureau, il y avait même un double cadre contenant sa photo et celle de Marcella, chacun regardant dans une direction opposée.

— Que faites-vous ici, dans mon appartement? demanda-t-il d'un ton sec. Qui êtes-vous?

Ils ne répondirent pas.

— Que voulez-vous? Comment êtes-vous entrés?

Comme ils ne répondaient toujours rien, il appela de nouveau Marcella en se tournant vers la porte de sa chambre. Une porte close, impénétrable au regard.

— Êtes-vous Scott Henderson?

Ils parlaient enfin et, quand il se retourna vers eux, il vit que leur demi-cercle s'était resserré autour de lui.

21

— Oui, c'est mon nom. Qu'y a-t-il donc? Que se passe-t-il?

Mais, avec un calme irritant, ils continuèrent de lui poser des questions au lieu de répondre aux siennes :

— Vous habitez ici et vous êtes le mari de Marcella Henderson?

— Oui, bien sûr! Allez-vous me dire de quoi il s'agit, à la fin? Où est ma femme? Est-elle sortie?

— Non, Mr. Henderson. Elle n'est pas sortie.

— Alors, pourquoi ne me répond-elle pas? Parlez, bon sang!

— Elle ne peut pas, Mr. Henderson, dit posément un des hommes en exhibant quelque chose au creux de sa main.

— La police! Nous avons été cambriolés? Il y a eu un accident?

Henderson voulut s'élancer vers la porte close, mais trois paires de bras s'abattirent immédiatement sur lui.

— Lâchez-moi! Je suis ici chez moi! De quel droit m'empêcheriez-vous d'entrer dans la chambre de ma femme?

Brusquement, ils le lâchèrent.

— C'est bon, entrez.

Il ouvrit la porte et, d'un pas que la liberté soudainement recouvrée rendit trébuchant, il entra dans cette chambre toute bleu et argent, imprégnée de ce parfum qu'il connaissait si bien. Les lits jumeaux étaient recouverts d'un dessus de satin bleu. L'un était lisse comme de la glace, l'autre recouvrait le corps de quelqu'un qui était endormi ou malade. Il le recouvrait complètement, ne laissant dépasser qu'une mèche de cheveux ondulés, semblable à de la mousse de bronze.

Il s'arrêta pile :

— Elle... elle... oh! la folle! balbutia-t-il, tandis que la consternation se répandait sur son visage.

Son regard se porta vers la table de nuit qui se trouvait entre les deux lits. Mais il n'y vit ni verre, ni flacon, ni boîte de cachets.

En deux enjambées, il se rapprocha du lit :

— Marcella... tu...

Il se sentait épié par trois paires d'yeux tandis que sa main agrippait le dessus de satin bleu...

Ce fut un moment atroce, hideux. Elle semblait le regarder en ricanant, mais aucun son, aucun souffle, ne s'échappait plus de cette bouche figée. Il fut tiré en arrière et elle disparut de nouveau sous le satin bleu.

— Je n'ai pas voulu ça, dit-il d'une voix brisée. Ce n'est pas ce que je souhaitais...

Trois paires d'yeux échangèrent des regards expressifs.

On le ramena dans le living-room et on le fit asseoir sur le sofa, tandis que la porte de communication était refermée. Il porta une main à ses yeux, comme si l'éclat de la lumière le blessait. Les trois hommes le laissèrent un moment en paix. L'un était debout près de la fenêtre, regardant la nuit. Un autre feuilletait nonchalamment un magazine féminin, et le troisième se curait les ongles avec une allumette.

— Nous avons à vous parler, dit celui-ci après un temps.

— Oui, bien sûr... Je m'excuse, mais le choc... vous comprenez ?

L'autre hocha la tête et Henderson dit :

— Maintenant, ça va... Vous pouvez commencer.

— Votre âge, Mr. Henderson ?

— Trente-deux ans.

— Le sien ?

— Vingt-neuf.

— Depuis combien de temps étiez-vous mariés ?

— Cinq ans.

— Quelle est votre profession ?

— Agent de change.

— Vers quelle heure êtes-vous sorti ce soir, Mr. Henderson?

— Entre cinq heures et demie et six heures.

— Pouvez-vous être plus précis?

— Écoutez, je me rappelle avoir entendu sonner six heures comme j'arrivais au coin de l'avenue. J'ai donc dû quitter l'appartement entre six heures moins le quart et six heures moins cinq, quelque chose comme ça.

— Vous aviez déjà dîné?

— Non... (Un léger temps). J'ai dîné dehors.

— Seul?

— J'ai dîné dehors... sans ma femme.

Le second policier posa son magazine et le troisième se détourna de la fenêtre.

— Vous n'aviez pas l'habitude de dîner dehors sans votre femme, n'est-ce pas?

— Non.

— Alors, comment se fait-il que, ce soir?...

— Nous devions dîner dehors ensemble mais, à la dernière minute, elle s'est plainte de ne pas se sentir bien, d'avoir mal à la tête et... je suis sorti seul.

— Vous avez eu des mots, quelque chose comme ça?

— Oui, un accrochage... vous savez ce que c'est.

Oui, le policier savait ce qu'était la vie conjugale.

— Mais rien de sérieux?

— Rien qui ait pu la pousser à se tuer, si c'est là que vous voulez en venir. Mais, au fait, comment s'est-elle...

Il s'interrompit en entendant la porte du palier s'ouvrir et regarda passer les arrivants dans une sorte de stupeur hypnotique. Il ne reprit la parole que lorsque la porte de la chambre se fut refermée.

— Qui sont ces hommes? Que vont-ils faire?

Le policier qui l'avait interrogé se leva et vint poser une main sur l'épaule de Henderson. Mais sans peser, comme en un geste de sympathie, de condoléance. Toutefois, celui qui était près de la fenêtre fit remarquer :

— Vous semblez plutôt nerveux, hein, Mr. Henderson ?

— Vous trouvez qu'il n'y a pas de quoi ? répondit Scott avec une amertume pleine de dignité. Je rentre chez moi et j'y trouve ma femme morte !

La porte de la chambre se rouvrit et, de nouveau, des hommes passèrent dans le living-room, se dirigeant vers le palier. Mais, cette fois, Henderson s'arracha à la transe qui s'était emparée de lui :

— Non, non, pas comme *ça!* Regardez ce qu'ils font... ses cheveux traînent par terre. Elle qui les soignait tant, qui...

Des mains le maintinrent sur le sofa et la porte du palier se referma. Celle de la chambre était demeurée ouverte et une bouffée de parfum l'environna, semblant murmurer : « Tu te souviens ? Quand tu m'aimais ? Tu te souviens ? »

Il enfouit son visage dans ses mains et, après un temps, il releva la tête, hébété, en disant :

— Je croyais qu'un homme ne pleurait pas... et voilà que...

Un des policiers lui passa une cigarette et poussa même la prévenance jusqu'à la lui allumer, puis remarqua négligemment :

— Vous vous habillez remarquablement bien, Mr. Henderson.

— C'est un art, glissa celui qui tenait le magazine à la main.

— Les chaussettes, la chemise, la pochette, tout est assorti...

— Tout, sauf la cravate, intervint celui qui était près de la fenêtre.

— Croyez-vous que ce soit bien le moment de discuter de ça ? demanda Henderson avec lassitude.

— Elle devrait être bleue, n'est-ce pas, puisque le reste

est bleu ? Elle jure dans l'ensemble. Je ne suis pas un dandy, loin de là, mais... Serait-ce que vous n'avez pas de cravate bleue ?

— Où voulez-vous en venir ? Cherchez-vous à me rendre fou avec ces vétilles alors que... Si, j'ai une cravate bleue. Accrochée dans l'armoire, je crois.

— Alors, pourquoi ne l'avez-vous pas mise au lieu de celle-ci ? Ou bien l'aviez-vous mise, et l'avez-vous changée à la dernière minute ?

— Écoutez, dit Henderson, ma femme est morte et j'en suis comme assommé. Au regard de ça, quelle importance peut bien avoir la couleur de ma cravate ?

— Êtes-vous sûr que vous n'aviez pas mis la cravate bleue, puis...

— Oui, j'en suis parfaitement sûr. Elle est accrochée dans l'armoire.

— Non, répondit le détective, elle n'y est pas et c'est pourquoi je vous pose la question. Vous avez un appareil spécial pour suspendre les cravates et, comme il ne comporte qu'une seule encoche de libre, il ne nous a pas été difficile de conclure que cette cravate bleue était, d'habitude, accrochée tout en dessous des autres. Elle n'était donc pas la première venue, celle qui tombait sous la main. Alors, je me demande forcément pourquoi, après vous être donné la peine d'aller la chercher sous les autres, vous avez finalement préféré remettre celle que vous aviez portée toute la journée et qui n'allait pas avec ce complet ?

Henderson se leva en portant les deux mains à ses tempes :

— Assez, assez ! Dites ce que vous avez à dire ou cessez ce jeu ! Si ma cravate n'est pas dans l'armoire, où est-elle ? Je ne l'ai pas sur moi, alors dites-moi où elle est si vous le savez ! Mais quelle importance cela peut-il bien avoir ?

— Une grande importance, Mr. Henderson.

Un silence suivit, si prolongé et significatif que Henderson pâlit.

— La cravate bleue était nouée autour du cou de votre femme. Si étroitement nouée que votre femme en est morte, et qu'il nous a fallu couper la cravate avec un couteau pour pouvoir la retirer de son cou.

II

LE 149ᵉ JOUR AVANT L'EXÉCUTION

Mille questions plus tard, le jour commença à poindre derrière les fenêtres, faisant paraître la pièce différente, bien que rien n'y eût changé, pas même les gens qui s'y trouvaient. Mais, maintenant, les cendriers débordaient de mégots et les policiers avaient retiré leurs vestes, ouvert le col de leurs chemises. Et les questions continuaient.

— Pourquoi vous obstiner à vouloir nous faire croire que c'était seulement à propos de ces places de théâtre?

— Mais parce que c'était à cause de ça! Que voulez-vous que je vous dise d'autre? N'avez-vous jamais entendu parler de gens qui se sont disputés à propos d'une place de théâtre? Ça arrive, pourtant.

— Vous feriez mieux de nous dire son nom, Henderson.

— Le nom de qui?

— Ah! non, nous n'allons pas encore recommencer! Qui est-elle?

Henderson enfonça ses doigts dans ses cheveux et baissa la tête, comme exténué.

Un des trois policiers, nommé Burgess, sortit de la salle de bains où il était allé se passer de l'eau à la figure.

28

Tout en rattachant sa montre-bracelet, il se dirigea vers le hall. Il dut décrocher le téléphone intérieur, celui de l'immeuble, car on l'entendit dire :

— Tu peux maintenant, Tierney.

Personne n'y prêta attention, Henderson encore moins que les autres.

Burgess revint dans le living-room et, comme embarrassé de son corps, s'approcha de la fenêtre. Un oiseau picorait sur le rebord extérieur.

— Venez ici une minute, Henderson. Quel oiseau est-ce là ?... Venez vite, avant qu'il s'envole !

Comme s'il n'y avait rien de plus important ! Henderson obéit machinalement, tournant ainsi le dos à la pièce.

— C'est un moineau, dit-il en regardant Burgess d'un air qui signifiait : Ça n'est pas pour ça que vous m'avez appelé.

— Oui, c'est bien ce que je pensais, répartit le policier qui continua aussitôt : Vous avez une belle vue d'ici.

— Si elle vous plaît tellement, je suis prêt à vous céder l'appartement ! dit Henderson, amer.

Il se retourna vers l'intérieur de la pièce et se figea sur place.

Une jeune fille était assise sur le sofa, à la place exacte qu'il occupait précédemment. Aucun bruit n'avait marqué son arrivée.

Les yeux des trois policiers ne quittaient pas Henderson et il dut faire un violent effort sur lui-même pour que son visage ne le trahît point.

Elle le regardait et il la regarda. Elle était jolie et avait le parfait type anglo-saxon, avec ses yeux bleus et ses cheveux châtain clair souplement brossés en arrière. Un manteau en poil de chameau jeté sur les épaules, elle était sans chapeau, mais avait un sac à main. Elle était très jeune, encore à l'âge où l'on croit à l'amour et où l'on a foi dans les hommes. Peut-être, d'ailleurs, serait-elle toujours ainsi. Il suffisait de voir avec quelle adoration elle regardait Henderson.

Celui-ci humecta ses lèvres et hocha la tête, comme s'il s'agissait d'une vague connaissance, dont il ne se rappelait plus le nom.

Burgess, qui commandait aux autres, dut faire quelque signe, car soudain Henderson se trouva seul dans la pièce, seul avec elle.

Il voulut la prévenir d'un geste, mais c'était déjà trop tard. Le manteau avait été rejeté sur les coussins du sofa et la jeune fille se jetait contre Henderson, dans un élan passionné.

— Faites attention! C'est sans doute ce qu'ils veulent. Ils doivent écouter...

— Je n'ai rien à craindre, dit-elle en le saisissant par les épaules. Rien! Et vous? Et vous, Scott? Répondez-moi!

— Pendant six heures je me suis battu pour que votre nom reste en dehors de ça. Comment ont-ils su? Comment vous ont-ils découverte?

— Pensez-vous que je veuille rester loin de vous en pareille circonstance? Me connaissez-vous si mal que ça?

Un baiser l'empêcha de répondre, puis il remarqua :

— Vous m'avez embrassé avant de savoir si...

— Non! dit-elle, serrée contre lui. Je *sais!* Je sais que je n'aurais pas pu me tromper à ce point. Mon cœur me l'aurait dit.

— Oui, peut-être, fit-il avec tristesse. Je ne haïssais pas Marcella. Simplement, je ne l'aimais plus assez pour continuer à vivre avec elle. Mais je ne l'aurais pas tuée. Je ne crois d'ailleurs pas que je pourrais tuer quelqu'un, fût-ce un homme...

— Comme si je ne le savais pas! dit-elle, blottie contre lui, avec un accent d'ineffable gratitude. Pourquoi pensez-vous que je vous aime tant ? Parce que vous êtes beau et intelligent ?

Il sourit en continuant de lui caresser les cheveux sur lesquels, d'instant à autre, il posait ses lèvres.

— Non, Scott, c'est ce qui est en vous que j'aime, ce que personne d'autre que moi ne peut voir ! Vous êtes si bon, si doux, si...

Bouleversée, elle levait vers lui ses yeux emplis de larmes.

— Je ne mérite pas tant d'amour, dit-il avec douceur.

— C'est à moi d'en juger, répondit-elle. Puis, tournant les yeux vers la porte de la chambre : Qu'est-ce qu'*ils* pensent ?

— Je crois que, pour l'instant, ils ne savent au juste que penser. Sans quoi, ils ne m'auraient pas harcelé de questions comme ils l'ont fait. Mais vous ? Comment ont-ils pu... ?

— Quand je suis rentrée, hier soir, j'ai trouvé le message que vous aviez laissé, à six heures. Sentant que je ne pourrais pas dormir sans connaître le résultat, quel qu'il fût, je vous ai rappelé, vers onze heures. Ils étaient déjà là et ils m'ont envoyé immédiatement quelqu'un qui ne m'a plus quittée depuis lors.

— Oh ! ils vous ont fait passer une nuit blanche...

— De toute façon, je n'aurais pas pu dormir en vous sachant dans les ennuis, dit-elle en lui caressant la joue. Il doit sûrement y avoir un moyen de découvrir qui l'a tuée... Que leur avez-vous dit ?

— A notre sujet ? Rien. Je ne voulais pas que vous soyez mêlée à ça.

— Alors, c'est peut-être ce qui les tracassait. Ils devaient sentir que vous leur cachiez quelque chose. Maintenant que je suis dans le bain, il vaut mieux tout leur dire puisque, aussi bien, il n'y a rien dont nous puissions avoir honte. Plus vite vous le ferez et plus vite ce sera fini. D'ailleurs, mon attitude a dû...

Elle s'interrompit parce que Burgess venait de rentrer dans la pièce, avec l'air satisfait de l'homme qui vient de marquer un point. Les deux autres suivirent.

— Il y a une voiture en bas, qui va vous reconduire chez vous, Miss Richman.

— Je vous demande de laisser Miss Richman en dehors de cette affaire, dit Henderson en faisant un pas vers Burgess. C'est vraiment trop injuste. Elle n'a rien...

— Ça dépend entièrement de vous, répondit le policier. Si nous l'avons amenée ici, c'est uniquement parce que vous vous obstiniez...

— Tout ce que je peux savoir, je suis prêt à vous le dire, déclara Henderson avec gravité, pourvu que vous me promettiez de faire votre possible pour que les journalistes ne l'importunent pas et ne se servent pas de son nom.

— Et ce sera la vérité ?

— Oui, dit Henderson. Puis, adoucissant sa voix : Maintenant, Carol, rentrez chez vous et tâchez de dormir un peu. Ne vous tracassez pas... tout va s'arranger.

Elle l'embrassa fièrement devant les autres :

— Vous me préviendrez dès que... dès que ça sera fini ? Aujourd'hui même, si possible ?

Burgess l'accompagna jusqu'à la porte et dit au planton qui était sur le palier :

— Prévenez Tierney que personne ne doit approcher cette demoiselle. Son nom ne doit pas être prononcé et qu'il ne laisse pas les journalistes lui poser des questions.

— Merci, dit Henderson quand le policier revint vers lui. Vous, au moins, vous êtes régulier.

Impassible, le policier sortit son carnet, tourna deux ou trois pages couvertes de notes, et s'arrêta à la suivante qui était vierge.

— Nous commençons ? demanda-t-il.

32

— Oui, allez-y, acquiesça Henderson.

— Vous avez dit que vous aviez eu des mots avec votre femme. Vous le maintenez ?

— Oui, oui.

— A propos de deux places de théâtre ?

— A propos de deux places de théâtre et d'un divorce.

— Ah ! ça, c'est nouveau. Il existait donc de mauvais sentiments entre vous ?

— Ni bons ni mauvais : aucun sentiment. Je lui avais déjà demandé de divorcer, voici quelque temps. Je lui avais parlé de Miss Richman. Je ne cherchais pas à lui cacher quoi que ce soit. Elle était au courant. Je voulais agir correctement, mais elle se refusait à divorcer. Et la quitter n'était pas suffisant. Je tenais à épouser Miss Richman. Nous tâchions de nous voir le moins souvent possible, mais c'était trop pénible. Est-il utile que je vous raconte tout ça ?

— Oui.

— Avant-hier soir, j'ai eu une longue conversation avec Miss Richman à ce sujet et, me voyant tourmenté, elle m'a dit : « Laissez-moi essayer de lui parler ». Mais je m'y suis refusé, préférant faire moi-même une nouvelle tentative, en employant une autre tactique. Je téléphonai de mon bureau et réservai une table pour deux au restaurant où Marcella aimait aller naguère. Je louai deux bonnes places au music-hall et, à la dernière minute, je déclinai même une invitation de mon meilleur ami, Jack Lombard. Il va en Amérique du Sud pour plusieurs années et c'était ma dernière chance de le revoir avant son départ. Mais je m'en tenais à mon projet. Pour autant qu'il m'en coûtât, je voulais ne rien épargner afin de me concilier Marcella. Mais, quand je revins ici, je la trouvai ancrée dans sa résolution. Elle ne tenait pas à la réconciliation. Le *statu quo* lui convenait parfaitement. Je me suis mis en colère, ça, je le reconnais. Elle avait attendu que je me sois changé

et tout, pour me dire ça. Elle me regardait en riant :
« Emmène-la donc à ma place! » me répétait-elle. « Pourquoi laisser perdre ces billets? » C'est pourquoi j'ai téléphoné à Miss Richman d'ici, devant elle. Mais je n'ai
même pas eu cette consolation. Miss Richman n'était pas
chez elle, ce qui a eu le don de mettre Marcella en joie.

« Vous savez ce que c'est quand une femme vous rit
au nez? Ça vous fout en boule! « Bon! lui ai-je dit. Puisque
c'est comme ça, je sors et j'inviterai à ta place la première
femme que je rencontrerai! » J'ai mis mon chapeau et je
suis parti en claquant la porte.

La voix d'Henderson baissa d'un ton :

— Et voilà, c'est tout. J'aurais beau faire, je ne pourrais
rien vous dire d'autre, car c'est la vérité, l'entière vérité.

— Après votre sortie d'ici, l'emploi du temps que vous
nous avez donné tient toujours?

— Oui, à ceci près que je n'étais pas seul. J'ai fait ce
que j'avais dit à Marcella. J'ai invité la première femme
que j'ai rencontrée et elle a accepté de passer la soirée
avec moi. Je ne l'ai quittée que dix minutes avant de revenir ici.

— A quelle heure l'avez-vous rencontrée, environ?

— Quelques minutes seulement après être parti d'ici.
Je me suis arrêté dans un bar de la 50e Rue et c'est là
que je l'ai abordée...

Henderson eut un claquement de doigts :

— Attendez donc! Je viens de me rappeler quelque
chose... Je vais pouvoir vous donner l'heure exacte de
notre rencontre. Nous avons regardé la pendule tous les
deux, au moment où je lui montrais les billets de théâtre,
et il était exactement six heures dix.

Burgess se caressa la lèvre inférieure du bout de l'index :

— A quel bar était-ce?

— Je ne saurais vous le dire. Tout ce que je me rappelle, c'est qu'il a une enseigne rouge, intermittente.

— Pourriez-vous prouver que vous étiez là-bas à six heures dix?

— Puisque je vous le dis. Mais pourquoi est-ce tellement important?

— Je vais être franc avec vous. Votre femme est morte à *six heures huit*. En tombant, elle a fracassé sa petite montre-bracelet contre le dessus de la coiffeuse et le mécanisme s'est arrêté. Or, même avec des ailes, vous auriez eu du mal à vous rendre dans la 50e Rue en deux minutes. Donc, prouvez-moi que vous étiez là-bas à six heures dix, et tout est fini en ce qui vous concerne.

— Mais je vous le dis! J'ai regardé la pendule.

— Ça n'est pas une preuve. C'est une déclaration et il faut qu'elle soit corroborée par quelqu'un d'autre. Cette femme qui était avec vous, peut-être?

— Oui, bien sûr. Elle a regardé la pendule en même temps que moi. Elle s'en souviendra certainement.

— Bon, alors ça suffira, pourvu qu'elle nous paraisse de bonne foi. Où habite-t-elle?

— Je ne sais pas. Je ne le lui ai pas demandé et elle ne me l'a pas dit.

— Pas même son prénom? Ou un surnom? Comment l'avez-vous appelée pendant les six heures que vous avez passées avec elle?

— *Vous*, répondit-il.

— Bon, dit Burgess en ressortant son carnet, alors décrivez-la et nous la rechercherons.

Il y eut un silence qui se prolongea.

— Eh bien?

Henderson avait brusquement pâli et il avala sa salive avec difficulté:

— Mon Dieu, je ne peux pas! balbutia-t-il enfin. C'est comme si elle avait été effacée de ma mémoire.

Il passa une main devant ses yeux, la crispa sur son front:

— Quand je suis revenu, j'aurais sûrement pu vous la décrire... Mais il s'est passé tant de choses depuis... Le choc que j'ai eu... D'ailleurs, le temps que j'ai été avec elle, je ne lui ai guère prêté attention. J'étais trop préoccupé par mes propres affaires.

— Voyons, prenez votre temps, réfléchissez... Ses yeux ?

Henderson eut un geste d'impuissance.

— Bon, ses cheveux alors ? Quelle teinte ?

Henderson plaqua une main sur ses yeux, mais finit par secouer la tête :

— C'est inutile. Quand je suis sur le point de vous faire une réponse, il me semble soudain que ça n'est pas ça. Mais je crois bien qu'ils devaient être plutôt châtains que bruns ou blonds. Aussi bien, ils étaient presque tout le temps cachés sous son chapeau...

Son visage s'éclaira un peu :

— C'est encore le chapeau que je me rappelle le mieux. Un chapeau orange... oui, je suis sûr qu'il était orange.

— Oui, mais supposez qu'elle ne le remette pas avant six mois ? Ne pouvez-vous vous remémorer quelque chose qui concerne son physique ?

Les mains d'Henderson pressèrent ses tempes, en un geste d'agonie.

— Voyons, était-elle grosse ou maigre ?... Grande ?... Petite ?

— Je ne peux pas vous le dire... C'est inutile ! gémit Henderson. Je n'arrive pas à me la rappeler !

— Moi, je crois que vous nous faites marcher, intervint un des autres policiers. Ça n'était pas l'année, ni la semaine, mais la *nuit* dernière.

— Je n'ai jamais eu la mémoire des visages, même quand... quand j'étais tranquille, que rien ne me tracassait. Elle était comme n'importe quelle autre femme, c'est tout ce que je peux vous dire.

Troisième pâté d'immeubles. Quatrième.

— Toujours rien?

— Non.

— Vous auriez pourtant dû être déjà dans ce bar, s'il y a quelque chose de vrai dans votre histoire. Il est six heures huit minutes trente secondes.

— De toute façon, si vous ne me croyez pas, quelle différence cela peut-il bien faire?

— Ça ne ferait pas de mal de découvrir combien de temps il faut pour se rendre à pied d'un point à un autre, dit l'homme qui était assis à sa gauche.

— Neuf minutes! annonça Burgess.

La tête penchée, Henderson scrutait le trottoir et les boutiques qui défilaient lentement devant ses yeux. Soudain il vit un nom, inscrit à l'aide d'un tube de néon qui n'était pas allumé:

— C'est là, je crois! dit-il en se retournant vivement. Mais l'enseigne est éteinte. *Chez Anselmo...* Oui, je suis presque certain que c'était ça... un nom étranger...

— Entre, Dutch! cria Burgess en arrêtant son chronomètre. Neuf minutes et dix secondes. Disons neuf minutes, car la foule pouvait être plus ou moins dense, ou la rue plus difficile à traverser. Neuf minutes, du coin de chez vous à ce bar. Et mettons qu'il vous ait fallu une minute pour aller de votre appartement à l'endroit où vous avez entendu sonner le premier coup de six heures... Bref, si vous pouvez prouver que vous étiez dans ce bar *à six heures dix-sept*, mais pas plus tard... vous vous trouverez automatiquement hors de cause.

— Si seulement je peux retrouver cette femme, elle vous dira que j'étais là dès six heures dix.

Burgess ouvrit la portière.

— Avez-vous déjà vu cet homme? demanda-t-il quand ils furent tous devant le comptoir.

Le barman se pinça le menton:

— C'est une tête qui ne me semble pas inconnue, dit-il, mais on en voit tellement dans notre métier!

— Quelquefois, dit Burgess, le cadre a autant d'importance que le portrait. Sur quel tabouret étiez-vous, Henderson?

— Par là... La pendule était juste en face de moi et le bol de bretzels à bout de bras, sur ma droite.

— Bon, alors, perchez-vous là. Barman, ne vous occupez pas de nous et regardez-le bien maintenant.

Henderson inclina la tête d'un air morose, comme il l'avait fait la veille, et l'effet fut immédiat. Le barman eut un claquement de doigts :

— Ça y est! Je me le rappelle maintenant! Triste Sire, que je l'avais baptisé. Hier soir, n'est-ce pas? Il a bu juste un verre et n'est pas resté longtemps, il me semble.

— Nous voudrions savoir à quelle heure il était là.

— Pendant ma première heure de service. Il n'y avait pas beaucoup de monde.

— Et quand se situe votre première heure de service?

— Le soir, entre six et sept.

— Oui, mais ce que nous aimerions savoir c'est combien de temps *après* six heures vous avez vu ce client.

— Ça, messieurs, je regrette, mais je ne regarde l'heure que vers la fin de mon service, jamais au commencement. Il pouvait être aussi bien six heures et demie ou sept heures moins le quart. Je suis incapable de vous donner une précision sur ce point.

Burgess regarda Henderson en haussant légèrement les sourcils, puis dit au barman :

— Parlez-nous de la femme qui était là en même temps que lui.

— Quelle femme? fit le barman avec une simplicité qui annonçait la catastrophe.

Henderson devint d'une pâleur de mort, mais un geste de Burgess l'empêcha de parler.

— Vous ne l'avez pas vu se lever pour aller parler à une femme? demanda le policier.

— Non, monsieur, non. D'ailleurs, je n'en jurerais pas, mais j'ai la nette impression qu'il n'y avait personne d'autre au bar.

— Même s'il ne lui a pas parlé, ne vous souvenez-vous pas d'une femme qui aurait été seule au bar, à ce moment-là?

— Avec un chapeau orange, dit Henderson désespérément, avant que Burgess ait pu l'en empêcher.

— Vous, taisez-vous! lui lança le policier.

Brusquement, pour une raison quelconque, le barman s'emporta :

— Écoutez voir un peu, ça fait trente-sept ans que je suis dans le métier et j'en ai marre de voir leurs bobines soir après soir! Alors, ne venez pas me demander s'ils avaient un chapeau de telle couleur ou s'ils se sont fait du gringue. Pour moi, ils ne représentent que des commandes. Dites-moi ce que votre bonne femme a bu et je vous dirai si elle était là ou non. Nous gardons les souches de carnets dans le bureau du patron... Je vais aller les chercher.

Tandis qu'il s'éclipsait, les policiers regardèrent Henderson :

— J'ai bu un Scotch. Je ne prends jamais autre chose. Elle, j'essaye de me souvenir...

Le barman revint avec une boîte en fer tandis qu'Henderson continuait :

— Il restait une cerise au fond de son verre et...

— Il y a six coktails que nous servons avec une cerise. Voyons un peu : le verre était-il avec ou sans pied? Et de quelle couleur était ce qui restait du cocktail? Si c'était un Manhattan, le verre avait un pied et le fond devait être marron.

— C'était un verre à pied qu'elle faisait tourner entre

ses doigts, mais le fond n'était pas marron... plutôt rose.

— Un *Jack Rose* alors, dit le barman sans hésiter. Maintenant, ça va être facile de vous retrouver ça... les fiches sont numérotées...

Henderson sursauta :

— Attendez! Je me rappelle quelque chose... Oui, ma fiche avait le numéro 13... le nombre fatidique.

Le barman posa deux fiches sur le comptoir :

— Oui, vous avez raison, la voilà... un Scotch. Mais il y a eu trois *Jack Rose*, sur la fiche 74. Une fiche de Tommy... je reconnais son écriture... c'était avant que j'arrive... Et votre bonne femme n'était pas seule, car il y a un rhum sur la même fiche et il faudrait être insensé pour mélanger ça avec un *Jack Rose*.

— Bref? fit Burgess.

— Eh bien, je ne me rappelle pas cette femme, en admettant qu'elle ne soit pas partie avant mon arrivée, puisque c'est une fiche de Tommy. Mais, si elle est restée, ce monsieur-là n'a sûrement pas été lui parler, car il y avait déjà un type avec elle. Et vous pouvez en croire mes trente-sept ans d'expérience dans un bar, quand un type paye trois *Jack Rose* à une poule, des consommations à quatre-vingt *cents* pièce, il ne la quitte pas pour qu'un autre recueille le bénéfice de ses largesses! conclut le barman en essuyant le comptoir d'un geste automatique.

— Mais vous vous souvenez de m'avoir vu! intervint Henderson d'une voix qui tremblait. Si vous vous souvenez de moi, pourquoi ne vous souvenez-vous pas d'elle? Elle était quand même plus intéressante à regarder...

— Je me souviens de vous, parce que je vous vois. Si vous me la rameniez, peut-être que je me souviendrais aussi d'elle. Mais comme ça, non.

Il se cramponnait au comptoir, tel un ivrogne obstiné, et Burgess dut le prendre par un bras.

— Venez, Henderson.

Il cria désespérément au barman :

— Mais comprenez donc que c'est grave! On m'accuse de meurtre!

— Taisez-vous, Henderson.

— On peut pas dire que le 13 vous porte bonheur, remarqua un des autres policiers quand ils ressortirent sur le trottoir.

— Même si l'on retrouve trace de cette femme dans la soirée d'hier, il est déjà trop tard pour que ça vous soit utile, fit remarquer Burgess quand ils furent de nouveau dans son bureau, attendant qu'on retrouve le chauffeur de taxi d'après la description d'Henderson. Il aurait fallu qu'on la voie avec vous à six heures dix-sept. Mais je suis quand même curieux de savoir si quelqu'un se souviendra d'elle, à un moment quelconque. C'est pourquoi nous allons reconstituer votre soirée, depuis A jusqu'à Z.

L'homme que Burgess avait chargé de s'informer revint annoncer :

— La *Sunrise Company* avait deux chauffeurs en stationnement devant chez Anselmo. Je les ai amenés tous les deux. Ils se nomment Budd Hickey et Al Alp.

— Al Alp! dit aussitôt Henderson. C'est le nom que je cherchais à me rappeler. Nous en avions ri tous les deux.

— Faites entrer Alp et dites à l'autre qu'il peut disposer.

Le chauffeur, en chair et en os, apparaissait encore plus truculent que sur sa photo.

— Hier soir, avez-vous pris quelqu'un devant chez Anselmo, à destination du restaurant *La Maison Blanche* ?

— Maison Blanche... Maison Blanche, fit-il, comme cherchant à se rappeler. Je trimbale tant de gens dans une soirée... Maison Blanche... par un temps comme hier, ça devait être une course de soixante-cinq *cents*... Ouais! ça y est... j'ai eu une course comme ça hier, entre deux de trente *cents*.

43

— Regardez autour de vous. Reconnaissez-vous un de vos clients d'hier ?

Son regard passa sur Henderson, puis revint en arrière :

— Lui, hein ?

— Nous vous posons une question. C'est à vous de répondre.

— Lui, dit-il alors d'un ton affirmatif.

— Seul ou accompagné ?

Là, il fallut une bonne minute au chauffeur pour réfléchir.

— Je m'rappelle pas qu'y ait eu quelqu'un d'autre. Y devait être seul.

— Mais vous l'avez sûrement vue ! s'exclama Henderson. Elle est montée la première, puisque c'était une femme...

— Henderson !

— Une femme ? rétorqua le chauffeur, agressif. Je me souviens parfaitement de vous, vu que je me suis fait érafler une aile en venant vous prendre...

— Oui, oui, c'est exact, approuva aussitôt Henderson. Et c'est peut-être à cause de ça que vous ne l'avez pas vue, parce que vous tourniez la tête de l'autre côté. Mais, à l'arrivée...

— A l'arrivée, j'avais sûrement pas la tête tournée de l'autre côté. Au moment du paiement, un chauffeur regarde toujours du bon côté. *Et je ne l'ai pas vue descendre non plus*, là !

— Mais nous avons laissé la lumière allumée pendant tout le trajet ! implora Henderson. Vous deviez la voir dans votre rétroviseur ou même dans votre pare-brise... nous nous reflétions sûrement...

— Alors, si tout à l'heure j'étais pas sûr, maintenant, je le suis ! Y a huit ans que je fais le taxi et j'ai jamais vu un type garder le plafonnier allumé quand il est avec une femme. Si vous avez pas éteint, c'est que vous étiez seul !

44

C'est à peine si Henderson eut encore la force d'articuler :

— Comment pouvez-vous vous rappeler mon visage si vous avez oublié le sien ?

— Vous-même, intervint Burgess avant que l'homme ait pu répondre, vous ne vous rappelez pas la tête qu'elle avait et, s'il faut vous en croire, vous avez passé *six heures* avec elle. Lui n'a fait que lui tourner le dos pendant une vingtaine de minutes. Alors, Alp, vous maintenez vos déclarations ?

— Et comment ! *Y avait personne avec cet homme quand je l'ai transporté hier soir dans mon taxi.*

Ils arrivèrent à *La Maison Blanche* au moment des rangements, après le départ du dernier gourmet. Ils s'assirent à une des tables dépouillées de nappe et, en survenant, le maître d'hôtel fit une courbette, par habitude, mais il présentait beaucoup moins bien sans col et sans cravate, finissant d'avaler ce qu'il avait dans la bouche.

— Avez-vous déjà vu cet homme ? lui demanda Burgess.

Les yeux de jais se posèrent sur Henderson et la réponse fut immédiate :

— Oui, certainement.

— Quand est-il venu pour la dernière fois ?

— Hier soir.

— Où était-il assis ?

Sans hésiter, le maître d'hôtel pointa l'index vers la table dans le renfoncement :

— Là-bas.

— Qui était avec lui ?

— Personne. Il était seul.

Des gouttelettes de sueur perlèrent au front d'Henderson.

— Je suis entré seul, oui. Mais elle m'a rejoint après une minute ou deux, et elle a été assise à côté de moi pendant tout le repas. Vous n'avez pas pu ne point la voir.

Le visage du maître d'hôtel se figea :

— Si vous doutez de ma mémoire, je m'en vais vous montrer la liste des réservations pour hier soir, et vous pourrez vous faire une opinion.

Le maître d'hôtel alla ouvrir le tiroir d'un buffet et revint avec un registre qu'il tendit à Burgess, sans même l'ouvrir :

— Voyez vous-même... les dates sont marquées en haut.

Sur la première ligne était imprimée la mention *Mardi 20 Mai*. Un grand X oblitérait la page, indiquant que c'était fini, mais n'empêchant aucunement de lire ce qui avait été écrit :

Table 18. — Roger Ashley, pour quatre. Plein.
Table 5. — Mrs. Rayburn, pour six. Plein.
Table 24. — Scott Henderson, pour deux (1).

— Y a qu'à lire pour comprendre, expliqua le maître d'hôtel. Quand il y a « plein », ça veut dire que les gens sont venus comme annoncés. Quand il n'y a rien, c'est qu'ils ne sont pas venus. Quand il y a un chiffre entre parenthèses, il indique le nombre de convives réels s'il ne correspond pas au nombre de places retenues. Mais même si les gens n'arrivent que pour le dessert, je les compte comme venus. Donc, Monsieur avait retenu une table pour deux, mais il est venu seul et l'autre convive ne l'a jamais rejoint. Je tiens toujours mon livre avec une totale exactitude, car c'est mon aide-mémoire. Grâce à lui, je peux vous affirmer que Mr. Henderson a dîné seul ici hier soir.

— Parfait. Notez son nom et son adresse. Puis nous passerons au serveur. Il est encore là, j'espère ?

— Oui, oui, c'est Mitri Maloff. Je vous l'appelle.

Il y eut un changement à vue, mais le cauchemar — ou la plaisanterie — continua à se dérouler sous le regard désespéré d'Henderson.

— Vous avez servi Monsieur à la table 24, hier soir ?

— Oui, oui, parfaitement. Bonsoir, Monsieur. J'espère que nous aurons bientôt le plaisir de revoir Monsieur... dit le serveur, ne semblant pas se rendre compte qu'il avait affaire à des détectives.

— Non, probablement pas, coupa Burgess. Et avec lui, combien étaient-ils ?

Le serveur eut l'air déconcerté :

— Mais... il n'y avait personne d'autre. Rien que lui.

— Pas de dame ?

— Non, non, sûrement pas. Pourquoi me demandez-vous ça ?

— Parce qu'il en a perdu une, dit l'un des policiers en veine de plaisanterie.

D'une voix éteinte, Henderson énuméra :

— Vous lui avez tiré une chaise pour qu'elle s'asseye et vous lui avez présenté le menu. (Il se frappa le front avec véhémence.) Je vous ai *vu* faire ça, mais vous, vous ne vous souvenez pas d'elle !

Le serveur riposta avec une véhémence très Europe orientale :

— Bien sûr ! Moi, je tire toujours la chaise et je présente le menu quand il y a une dame. Mais quand il n'y en a pas, il n'y en a pas ! Et je...

— Bon, bon, coupa Burgess. Pour en terminer avec cette histoire je voudrais voir la note qu'a payée Monsieur. Vous les gardez, je suppose.

— Le gérant les garde, oui, monsieur. Vous n'aurez qu'à les lui demander.

Ainsi fut fait. A la table 24, le 20 mai, il y avait eu trois notes payées : un thé, 75 *cents*, puis 2 *dollars* 25 que le serveur déclara être la note d'Henderson, et une autre fiche de 7 dollars 60, correspondant à un souper de quatre personnes servi peu avant l'heure de la fermeture.

Il marchait comme un automate et ils durent l'aider à remonter dans la voiture :

— Ils mentent, ils mentent... ils veulent ma mort, tous tant qu'ils sont! Qu'est-ce que j'ai bien pu leur faire?

— Ça me rappelle ces films avec Constance Bennett, tu sais, Burgess, les *Topper*? On la voyait disparaître sur l'écran comme si on l'effaçait? dit un des policiers, et Henderson se tut en frissonnant.

**

De la salle parvenaient, assourdis, des rires mêlés à de la musique et des applaudissements. Le directeur était assis derrière son bureau et, renversé contre le dossier de son fauteuil, il fumait un bon cigare en se réjouissant que les affaires fussent excellentes.

— Il ne fait aucun doute que ces deux fauteuils aient été payés, déclara-t-il avec bienveillance. Tout ce que je puis dire, c'est que personne ne se souvient d'avoir vu quelqu'un avec lui... (Il ajouta vivement) Oh! il va s'évanouir... Emmenez-le vite hors d'ici... S'il fallait une civière, ça ferait mauvais effet en pleine représentation.

Ils l'entraînèrent vers la porte, le portant à demi. Une bouffée de chanson leur parvint de la salle.

> *Chica chica boom boom*
> *Chica chica boom boom...*

— Ah! je n'en puis plus, je n'en puis plus! gémit-il en se laissant tomber sur la banquette de la voiture et mordant ses poings crispés.

— Pourquoi ne pas en finir et reconnaître qu'il n'y avait *pas* de dame avec vous? dit Burgess, essayant de le raisonner. Vous ne croyez pas que ça vaudrait mieux?

— Mais, si je le faisais, dit Henderson d'une voix qu'il s'efforçait d'empêcher de trembler, jamais plus je ne pourrais être sûr de quoi que ce soit! J'en suis aussi sûr que de m'appeler Scott Henderson... aussi certain que ceci est à moi, continua-t-il en abattant sa main sur sa cuisse. On ne peut pas douter de choses pareilles ou alors c'est fini, on devient fou ! Elle a été à côté de moi pendant six heures, je l'ai touchée, je l'ai vue boire, manger, parler, monter en taxi ! Ça n'était pas un fantôme... et maintenant, vous voudriez me convaincre qu'elle n'existe pas ! acheva-t-il dans une sorte de sanglot.

Puis il dit une chose qu'on entend bien rarement dire par un suspect. Et il le dit de tout son cœur, de toute son âme :

— J'ai peur ! Ramenez-moi dans une cellule... Je vous en prie ! Je veux sentir des murs autour de moi... quelque chose qu'on puisse toucher avec ses mains... quelque chose d'épais, de solide... quelque chose qui ne bouge pas... qui soit toujours là !

On s'arrêta pour lui faire boire un rye, mais il continua de frissonner.

— Il est livide... On dirait un type qui a vu un fantôme.

En arrivant au quartier général de la police, il faillit tomber et Burgess le retint par le bras en lui disant :

— Il vous faut une bonne nuit de repos, Henderson. Et un bon avocat.

III

LE 91ᵉ JOUR AVANT L'EXÉCUTION

— Vous avez entendu la défense prétendre que l'accusé avait rencontré une certaine femme, dans un bar appelé *Chez Anselmo*, à dix-huit heures dix, le soir du crime. C'est-à-dire moins de trois minutes après le décès de la victime. Très habile, n'est-ce pas ? Car personne, par quelque moyen que ce soit, n'aurait pu se rendre de l'appartement à ce bar en si peu de temps.

« Le plus curieux, c'est que l'accusé a reconnu n'avoir jamais eu l'habitude d'agir ainsi. C'est ce soir-là, justement, pour la première fois depuis son mariage, qu'il a accosté une femme inconnue dans un bar. Extraordinaire coïncidence, n'est-il pas vrai ? Une prémonition, sans doute.

« Mais où est cette femme ? Pourquoi ne nous la montre-t-on pas ? Quelqu'un d'entre vous l'a-t-il vue prendre place dans le fauteuil des témoins ? Non, personne. Pourquoi ? »

Un temps et un geste énergique de la main droite :

— Parce que, mesdames et messieurs, cette femme n'existe pas, n'a jamais existé. L'homme que vous voyez devant vous, dans le box des accusés, risque sa vie. Croyez-

50

vous que, si cette femme existait, la défense n'aurait pas tout mis en œuvre pour l'amener ici devant vous ? Et partout où l'accusé prétend être allé, ce soir-là, en compagnie de cette femme, vous l'avez entendu de vos propres oreilles, on ne se souvient que de lui et de lui *seul*. Si quelqu'un peut m'expliquer ce phénomène, je suis tout oreilles. Sans doute le corps de cette dame était-il transparent et n'arrêtait-il pas les regards ? (Rires.) Mais quand la vie d'un homme est en jeu, je ne tiens pas à rire. C'est la défense qui transforme ce procès en farce. Revenons-en aux faits. Revenons à Marcella Henderson qui n'était pas un fantôme, à Marcella Henderson qu'on a pu voir aussi bien avant qu'après sa mort, et qui a été assassinée. Ça, c'est un fait. Et nous pouvons également tous voir cet homme assis dans le box des accusés et qui relève en ce moment la tête pour me regarder d'un air de défi. Ça, c'est un second fait. Et il y a un troisième fait : c'est que cet homme a assassiné Marcella Henderson. Nous ne vous demandons pas de croire à des fantômes, des phantasmes, des hallucinations ! Non, ces trois faits sont prouvés par des choses parfaitement tangibles, des documents, des dépositions enregistrées et corroborées ! »

Le poing de l'avocat général s'abattit d'impressionnante façon sur le rebord de la tribune occupée par le jury.

— On vous a exposé les circonstances de ce meurtre et l'accusé lui-même, comparaissant hier en qualité de témoin, n'a pas nié qu'elles fussent exactes. Une fois encore, je vais les résumer brièvement à votre intention.

« Scott Henderson s'était épris d'une autre femme que la sienne. Mais celle-ci n'est pas en cause. Vous avez pu remarquer que son nom n'avait même pas été prononcé au cours de ce procès. Pourquoi ? Parce qu'elle est étrangère à tout cela et que nous ne tenons pas à ce que des innocents souffrent pour les coupables. C'est *lui* qui a commis le crime, et *lui seul*. Elle, elle n'y est absolument pour rien, comme la police l'a parfaitement établi au cours d'une minutieuse enquête. Cette infortunée a déjà suffisamment souffert ainsi pour une faute qui n'est pas la sienne. Aussi, d'un commun accord, la défense et l'accusation ont-elles décidé de ne jamais prononcer son nom et de l'appeler simplement *La Demoiselle*.

« Donc, Henderson était déjà dangereusement épris de la Demoiselle, quand il songea à l'informer qu'il était déjà marié. Dangereusement... pour sa femme, bien entendu. Car la Demoiselle ne voulait pas du mari d'une autre. Elle était trop bien, trop noble pour cela. Tous ceux qui l'ont approchée peuvent en témoigner. C'est une jeune fille d'une rare élévation d'âme, digne de la plus haute estime, et il est bien triste pour elle d'avoir aimé cet homme.

« Donc, afin d'être libre de l'épouser, Henderson demanda à sa femme de divorcer. Comme ça, sans plus de formes. Elle refusa. Pourquoi? Parce que pour elle, le mariage était un lien sacré qu'on ne rompt pas pour un oui ou un non, à la première occasion. Étrange épouse, n'est-ce pas?

« Quand Henderson lui dit cela, la Demoiselle déclara qu'il n'y avait plus qu'une chose à faire : oublier qu'ils s'étaient connus. Mais Henderson ne l'entendait pas ainsi. Il attendit le moment qu'il estima favorable pour faire une seconde tentative. Il changea de méthode, mais celle-ci paraît aussi odieuse que la première. Il décida de *sortir* sa femme, comme l'on *sort* un client de province quand il vient ici et qu'on veut l'inciter à passer de grosses commandes. C'est vous dire quel homme est Henderson : pour lui, un mariage, un foyer, une femme, ça pouvait se négocier au cours d'une soirée en ville, à l'issue d'un dîner ou pendant un spectacle.

« Il prit donc deux fauteuils pour le Casino et retint une table dans un restaurant. Marcella Henderson, elle, crut d'abord que son mari lui revenait et commença de se préparer. Mais elle ne tarda pas à comprendre et ne poursuivit pas plus avant ses préparatifs de sortie, disant à son mari qu'elle accordait plus de prix à son foyer, à leur union, qu'à deux fauteuils d'orchestre et un dîner au restaurant. En d'autres termes, elle refusa pour la seconde fois de consentir au divorce. C'était une fois de trop.

« Henderson était en train de mettre sa cravate. Dans un brusque accès de rage, il la noua autour du cou de sa femme et se mit à serrer, serrer, au point que les policiers — vous les avez entendus vous le dire — pour détacher la cravate, durent effilocher la soie qui s'était incrustée dans la chair de la victime.

« Et quand il a tenu sa femme morte entre ses bras, qu'a fait Henderson ? A-t-il désespérément essayé de la ranimer, a-t-il éprouvé le moindre remords, l'ombre d'un regret ? Non, mesdames et messieurs, je vais vous dire ce qu'Henderson a fait alors. *Il a fini de s'habiller en prenant une autre cravate.* Puis, prêt à partir, il téléphona à la Demoiselle. Heureusement pour elle — oui, c'est vraiment la seule chose heureuse qui lui soit arrivée dans cette affaire — la Demoiselle n'était pas là et elle sut seulement plusieurs heures après qu'Henderson l'avait appelée. Et pourquoi lui a-t-il téléphoné près du cadavre encore tout chaud de sa femme ? Non point poussé par le remords, pour lui confesser son abominable forfait, lui demander de l'aider, de le conseiller... non ! Il lui a téléphoné pour se servir d'elle, pour qu'elle lui assure un alibi à son insu. Pour lui demander de l'accompagner au restaurant et au théâtre où il devait aller avec sa femme. Sans doute, avant de la rejoindre, aurait-il retardé sa montre pour lui faire remarquer ensuite l'heure qu'elle indiquait. Après quoi, il lui aurait suffi de remettre sa montre à l'heure pour que la Demoiselle lui assure, en toute bonne foi, un excellent alibi.

« Mais ce plan échoua, car la Demoiselle n'était pas là.

Alors, Henderson sortit seul et suivit en tous points le programme qu'il avait imaginé pour se concilier sa femme. Sur le moment, il n'eut pas l'idée de faire ce qu'il prétend maintenant avoir fait : accoster une femme et s'en servir pour étayer son alibi. Ou, si cette idée lui vint, il n'eut pas assez de sang-froid pour la mettre à exécution, craignant de se trahir aux yeux d'une étrangère. Ou peut-être comprit-il que trop de temps déjà s'était écoulé pour que cet alibi pût encore avoir quelque valeur. Dans ce cas, le faux alibi risquait de lui être plus nuisible qu'utile. Adroitement interrogée, sa compagne pourrait se rappeler quelque détail établissant qu'elle l'avait rencontré plus tard qu'il ne le lui avait fait croire. Et c'est alors qu'il imagina cet alibi fantôme. Un faux alibi pouvait se retourner contre lui. Un alibi comme celui-ci ne pouvait pas être prouvé, mais on ne pouvait pas davantage le démolir. Cet alibi laissait place pour le *doute*, et c'était toujours ça.

« Pour conclure, mesdames et messieurs, laissez-moi vous poser une simple question. Est-il normal, est-il vraisemblable, quand sa vie est en jeu, qu'un homme soit incapable de se rappeler un seul détail susceptible de permettre l'identification d'une femme qui pourrait le sauver ? Ni la couleur de ses yeux, ni celle de ses cheveux, ni la forme de son visage, ni sa taille, ni sa corpulence, *rien !* Mettez-vous à sa place, mesdames et messieurs. Si votre vie était en jeu, croyez-vous que vous n'arriveriez pas à vous rappeler le moindre détail concernant une femme avec laquelle vous auriez passé *six* heures d'affilée ? Je vous laisse le soin de répondre, en votre âme et conscience.

« Je n'ai plus rien à ajouter, mesdames et messieurs les jurés. L'affaire est simple et elle est parfaitement claire.

Étendant le bras en un geste dramatique :

— Le Ministère public accuse cet homme que vous voyez là, Scott Henderson, d'avoir assassiné sa femme, et demande sa vie en retour.

IV

LE 90ᵉ JOUR AVANT L'EXÉCUTION

— L'accusé veut-il se lever et faire face au jury?

« Le président du jury veut-il se lever également? Mesdames et messieurs les jurés, êtes-vous prêts à rendre un verdict?

— Oui, Votre Honneur.

— Avez-vous reconnu l'accusé coupable ou non coupable des charges portées contre lui?

— Coupable, Votre Honneur.

Du box des accusés, une voix étranglée jaillit :

— Oh! mon Dieu... non, non!

V

LE 87ᵉ JOUR AVANT L'EXÉCUTION

— Accusé, avez-vous quelque chose à dire avant que la Cour rende sa sentence?

— Que dire quand on vous prouve que vous êtes coupable d'un crime et que vous êtes seul à savoir que vous ne l'avez pas commis? Qui voudra vous écouter et vous croire? Vous êtes sur le point de m'annoncer que je dois mourir et, s'il le faut, je mourrai. La mort ne m'effraie pas plus qu'elle n'effraie un autre homme. Mais pas moins non plus. Ça n'est jamais facile de mourir, mais c'est encore plus difficile de mourir pour une erreur. C'est certainement ce qu'il y a de plus pénible. Quand le moment sera venu, je m'efforcerai de faire de mon mieux, c'est tout.

« Mais je vous le dis maintenant, à vous tous qui ne voulez pas m'écouter ni me croire : je ne suis pas coupable, je n'ai pas fait ça. Et toutes les délibérations de tous les jurys, tous les jugements de toutes les cours du monde, toutes les exécutions imaginables, ne pourront pas faire que soit ce qui n'est pas.

« Votre Honneur, je suis prêt à entendre votre sentence.

— Mr. Henderson, je ne crois pas avoir jamais ouï plaidoyer plus digne, plus émouvant, de la part d'un homme attendant de nous sa sentence. Mais le verdict du jury ne me laisse pas d'alternative...

La voix du juge, se dépouillant de toute compassion, continua avec force :

— Scott Henderson, vous avez fait l'objet d'un procès et avez été reconnu coupable de meurtre au premier degré. Je vous condamne donc à mourir sur la chaise électrique, à la prison de..., au cours de la semaine qui commencera le 20 octobre. Cette sentence sera exécutée par le directeur de la prison, et que Dieu ait pitié de votre âme.

VI

LE 21e JOUR AVANT L'EXÉCUTION

Dans le couloir de la section des condamnés à mort, une voix chuchota :

— Là, c'est ici.

Puis, élevant le ton :

— Une visite, Henderson.

Henderson ne parle ni ne bouge. La porte de sa cellule s'ouvre, puis se referme. Un silence suit, long, embarrassant, au cours duquel ils se regardent.

— J'ai l'impression que vous ne vous souvenez pas de moi.

— On se souvient toujours des gens qui vous tuent.

— Je ne tue personne, Henderson. Je livre à la justice ceux qui ont commis des crimes.

— Après quoi, vous venez les voir, pour vous assurer qu'ils sont toujours là, qu'on les a bien condamnés. Constatez et rassurez-vous : je suis toujours là. Maintenant, partez heureux.

— Vous êtes amer, Henderson.

— Il n'est pas doux de mourir à trente-deux ans.

Burgess ne répondit rien. Qu'aurait-il pu répondre,

aussi bien? Il battit des paupières, puis sortit un paquet de sa poche :

— Cigarette?

Le condamné le regarda, et prit finalement une cigarette, non point comme s'il en avait envie, mais comme si c'était le seul moyen de se débarrasser de son visiteur. Puis, quand le policier lui offrit du feu, il dit :

— Que se passe-t-il donc? Serait-ce déjà le jour de l'exécution?

— Je sais ce que vous pouvez ressentir...

Henderson se redressa brusquement sur sa couche :

— *Vous* savez ce que je peux ressentir! Non, c'est trop drôle! Allez-vous-en, tenez! Partez! Allez chercher quelque autre victime. Moi, j'ai déjà servi. C'est fini. Passez au suivant.

Il se détourna et lança une bouffée de fumée en direction du mur. Mais Burgess ne partit pas.

— J'en conclus que votre grâce a été refusée.

— Oui, ma grâce a été refusée. Maintenant plus rien ne s'oppose à la petite fête finale. C'est du tout cuit!

Henderson se retourna pour regarder le policier :

— Pourquoi avez-vous l'air si triste? Parce que l'agonie ne peut plus être prolongée? Ou parce que je ne peux mourir qu'une seule fois?

Burgess jeta sa cigarette et l'écrasa sous son pied, comme si, brusquement, elle l'écœurait :

— Pas de coup bas, Henderson. Je ne suis même pas en garde.

Henderson le regarda pendant un moment avec une attention nouvelle, comme si, à travers le voile rouge de sa colère, il avait pour la première fois conscience de quelque chose d'insolite :

— Qu'avez-vous en tête? demanda-t-il. Qu'est-ce qui vous ramène ici après tant de semaines?

Burgess se passa une main sur la nuque :

— Je ne sais comment vous expliquer... c'est évidemment étrange de la part d'un flic, reconnut-il. Mon boulot se terminait le jour où vous avez été déféré devant le Grand Jury mais... Oh! c'est dur à sortir...

— Pourquoi? Je ne suis qu'un condamné dans sa cellule.

— C'est bien pour ça. Je suis venu... Je suis ici parce que... parce que je vous crois innocent... Voilà. Ça ne vous avance à rien, ni moi non plus, mais c'est ainsi.

Il y eut un silence que Burgess rompit, gêné :

— Allons, dites quelque chose. Ne restez pas comme ça à me regarder.

— Que dire quand un homme déterre le cadavre qu'il a aidé à mettre dans la tombe et déclare : « Je m'excuse, mon vieux, mais je crois que je me suis trompé »?

— Oui, vous avez sans doute raison. Il n'y a rien à dire. Mais je soutiens néanmoins que j'ai agi comme je le devais, eu égard aux circonstances. J'irai même plus loin : si ça se représentait demain, j'agirais de même. Mes sentiments personnels n'ont pas à intervenir. On me paye pour ne m'occuper que de faits concrets.

— Et qu'est-ce qui a provoqué ce profond changement dans vos sentiments personnels? s'enquit Henderson avec une ironie morose.

— C'est aussi difficile à expliquer que tout le reste. Ça s'est fait lentement, insensiblement, comme de l'eau qui s'infiltrerait dans des rames de buvard. Je crois bien que ça remonte au procès. Tout ce qu'on y a dit pour vous accabler a fini par avoir sur moi l'effet contraire. D'ordinaire, quand on combine un faux alibi, on fait ça minutieusement. Vous, vous n'aviez qu'une lamentable histoire. Un gosse de dix ans aurait trouvé quelque chose de mieux. N'importe quel mensonge eût paru plus vraisemblable. Il n'y avait vraiment qu'un innocent pour ne pas vouloir démordre de ce récit. Tout ce que vous saviez dire, c'est que vous aviez été avec une femme qui avait un drôle de chapeau.

60

Et, à la réflexion, je me suis dit qu'un homme qui accoste une femme sans qu'elle l'intéresse le moins du monde, peut très bien ne se souvenir que d'un détail vestimentaire comme celui-là, surtout si, peu après, il découvre sa femme morte chez lui et s'entend accuser de l'avoir assassinée. Et ça me tracassait, ça me tracassait. J'ai déjà failli venir une fois ici, mais j'ai fait demi-tour. Puis j'ai eu l'occasion de m'entretenir avec Miss Richman...

— Ah! je commence à comprendre, fit Henderson.

— Non, si vous vous imaginez qu'elle est venue me trouver pour tenter de m'influencer, coupa le détective. C'est moi qui ai cherché à entrer en contact avec elle, pour lui dire à peu près ce que je viens de vous dire. Depuis lors, nous nous sommes revus plusieurs fois, mais si je suis venu ici aujourd'hui, c'est de mon propre chef. Elle n'en sait absolument rien. Il faut que vous vous assuriez le concours de quelqu'un, de quelqu'un qui travaille à fond pour vous. Moi, je ne peux pas, j'ai mon boulot qui m'occupe. Oh! je sais, dans les films, il y a des flics qui lâchent tout pour ne s'occuper que de ce qui leur tient à cœur. Mais moi, j'ai une femme et des gosses; j'ai besoin de mon boulot. Et, après tout, vous et moi, nous ne sommes rien l'un pour l'autre.

— Je ne vous ai rien demandé, rétorqua Henderson sans lever la tête.

Burgess se campa devant lui :

— Trouvez quelqu'un qui vous soit dévoué... et je vous promets de tout faire pour l'aider.

Henderson leva les yeux, puis les baissa de nouveau :

— Qui? fit-il avec découragement.

— Il faut quelqu'un de convaincu, quelqu'un qui fasse ça par affection et non pour de l'argent. Quelqu'un qui soit prêt à mourir pour vous. Quelqu'un que rien ne découragera, qui ne s'avouera jamais vaincu, qui ne saura pas se dire : « Ça va être trop tard. »

Burgess posa sa main sur l'épaule d'Henderson, comme s'il lui donnait l'accolade, tout en poursuivant :

— Je sais. Il y a une femme qui est prête à faire tout cela pour vous. Mais ça n'est qu'une femme. Elle a tout ce qu'il faut, sauf l'expérience. Elle fait tout ce qu'elle peut, mais ça n'est pas suffisant.

Pour la première fois, l'expression d'Henderson s'adoucit un peu. Il leva vers le policier un regard empreint de gratitude, mais qui ne s'adressait pas à Burgess :

— J'aurais bien dû m'en douter... murmura-t-il.

— Il faut un homme, un homme qui connaisse la vie et sache se débrouiller, mais qui ait aussi pour vous une affection sans limite. Vous devez bien connaître quelqu'un comme ça... tout le monde a quelqu'un comme ça dans sa vie.

— Oui, au début... mais, à mesure qu'on vieillit, on perd ces amis-là. Surtout quand on se marie.

— Un ami comme celui auquel je pense ne vous oublie jamais, même si vous rompez toutes relations avec lui. Quand il a donné son amitié, c'est pour la vie.

— J'ai connu un garçon comme ça, autrefois. Nous étions comme deux frères. Mais c'est le passé...

— Pour l'amitié véritable, le temps ne compte pas.

— De toute façon, il n'est pas ici. La dernière fois que je l'ai vu, il m'a annoncé qu'il partait le lendemain pour l'Amérique du Sud. Un contrat de cinq ans dans une compagnie pétrolière...

Puis changeant de ton :

— Pour un type qui fait votre métier, vous semblez avoir conservé pas mal d'illusions, hein ? Car ce serait vraiment beaucoup, de demander à quelqu'un de refaire un voyage de trois mille miles et de tout laisser tomber pour venir en aide à un ami. Un ami qu'on a quelque peu perdu de vue au cours des dernières années...

— Avant, aurait-il fait cela pour vous ?

— Sûrement.

— Alors, il le fera encore. Pour une véritable amitié, rien ne compte que l'ami. S'il ne répond pas à votre appel, c'est qu'il ne l'aurait pas davantage fait autrefois.

— Mais l'épreuve n'est pas loyale. C'est trop lui demander...

— S'il est capable de mettre en balance un contrat de cinq ans et votre vie, alors, de toute façon, ça n'est pas l'homme qu'il vous faut. Dans le cas contraire, c'est exactement celui qui peut vous sauver. Pourquoi ne pas lui donner l'occasion de prouver ce dont il est capable, avant de raconter qu'il ne le fera pas?

Burgess sortit un calepin de sa poche, en déchira une page et, posant un pied sur le rebord de la couchette, se servit de sa cuisse comme écritoire.

NN29 22 Cable *via* NBN — 20 septembre 19...
NLT JOHN LOMBARD, Compania Petrolera Sudamericana, Caracas, Venezuela

Depuis ton départ ai été condamné pour meurtre Marcella. Si retrouvé, témoin important peut me disculper. Avocat au bout du rouleau. N'ai plus que toi pour me sauver. Ma grâce a été refusée. Dois être exécuté troisième semaine octobre. Au secours!

Scott Henderson.

VII

LE 18ᵉ JOUR AVANT L'EXÉCUTION

Il avait à peu près l'âge de Scott Henderson; le Scott Henderson de cinq ou six mois auparavant, pas le cadavre vivant qui, enfermé dans sa cellule, ne comptait plus les jours, mais les heures.

Il portait encore les vêtements qu'il avait en Amérique du Sud. Un panama qui n'était plus de saison sous cette latitude, un complet de flanelle, beaucoup trop léger maintenant. Il émanait de lui une aisance, une impression de souplesse virile. C'était le genre d'homme qu'on imagine toujours courant après un bus et le rattrapant. Il n'avait rien d'un dandy, en dépit de ses vêtements printaniers. Sa petite moustache aurait eu besoin d'un coup de ciseaux et sa cravate était toute fripée. En le voyant, on avait le sentiment qu'il était beaucoup plus à sa place, penché sur des épures ou à la tête d'une équipe de manœuvres, que dans une salle de bal avec des dames. C'était ce qu'on appelle un homme à poigne.

— Comment prend-il ça ? demanda-t-il au gardien qui le guidait.

— Comme ça, répondit l'autre, l'air de dire : « Mettez-vous à sa place! »

— Pauvre vieux! fit-il à mi-voix, en hochant la tête.

Ils étaient arrivés. Le gardien ouvrait la porte de la cellule.

Il tarda un instant, avalant sa salive avec difficulté. Puis, arborant un large sourire, il entra, la main tendue comme si c'était le hall du *Savoy Plaza* :

— Eh bien, mon vieil Hendy, à quoi penses-tu de nous jouer des tours pareils?

La réaction d'Henderson ne ressembla en rien à celle qu'il avait eue lorsque Burgess était venu le voir. Son visage s'éclaira et ils se serrèrent la main avec vigueur, avec chaleur, paraissant ne plus vouloir se lâcher, tellement cette poignée de main signifiait de choses inexprimées. « Tu es là, tu es venu! » pensait Henderson. « L'amitié, ça n'est donc pas une blague! » Et la main de Lombard étreignant celle de son ami lui criait : « Maintenant, je suis avec toi. Que le diable m'emporte, si je les laisse te faire ça! »

Par une sorte d'accord tacite, ils évitèrent d'abord le sujet qui leur tenait le plus au cœur.

— Tu as une mine splendide, Jack. Le climat de là-bas doit te convenir...

— Ouais, tu parles d'un bled! Quelle nourriture! *Et* les moustiques! J'ai été drôlement jobard de signer pour cinq ans comme je l'ai fait.

— Mais c'est bien payé, je suppose?

— Oui, seulement à quoi ça sert de gagner du fric là-bas? Tu ne peux le dépenser nulle part. Même la bière a un goût de pétrole!

— Je m'en veux quand même de t'avoir fait venir...

— Penses-tu! Tu m'as rendu un véritable service. D'ailleurs, mon contrat tient toujours. J'ai simplement pris mes vacances par avance.

Il y eut un silence. Puis, sans oser regarder son ami, Lombard aborda enfin la question qui les tourmentait.

— Alors, qu'y a-t-il au juste, Hendy ?

— Eh bien, dans deux semaines et demie, il y a que je participerai à une expérience sur l'électricité qui me vaudra probablement d'avoir mon nom dans tous les journaux.

Cette fois, Lombard le regarda droit dans les yeux :

— Inutile de chercher à faire le clown. Du moment que je suis là, il te faudra chercher un autre moyen de faire parler de toi.

Il se percha d'une fesse sur le rebord du lavabo :

— Je ne l'avais vue qu'une fois, reprit-il d'un air pensif.

— Deux, rectifia Henderson. Nous t'avions rencontré dans la rue, tu te souviens ?

— Oui, c'est juste. Elle ne cessait de te tirer par le bras pendant que nous causions.

— Nous étions sortis pour qu'elle s'achète une robe et tu sais comment sont les femmes en pareil cas...

Puis il continua, pour excuser quelqu'un qui était mort à présent, sans paraître comprendre combien cela était sans importance désormais :

— Nous voulions toujours t'avoir à dîner, mais je ne sais comment ça s'est fait...

— Je connais ça, dit Lombard avec tact. Une femme ne tient jamais beaucoup aux amis que son mari fréquentait avant leur mariage. Mais raconte-moi tout, que je sois au courant...

— Oui, c'est juste, soupira Henderson. Moi, je connais ça par cœur, mais toi, tu n'es pas au courant.

— Non, aussi n'omets aucun détail.

— Eh bien, tout d'abord, mon mariage avec Marcella n'a pas été ce que doit être un mariage, mais plutôt une sorte de prologue. Ce ne sont pas des choses que, d'ordinaire, un homme aime à reconnaître, mais ici, c'est l'antichambre de la mort, alors les réticences ne sont vraiment plus de saison. Bref, il y a un peu plus d'un an, je découvris enfin le véritable amour, mais trop tard. Tu ne l'as jamais rencontrée, tu ne la connais pas, je n'ai donc pas à mentionner son nom. Pour ça, ils ont eu du tact au procès. Ils l'appelaient la Demoiselle. Ce sera donc ma Demoiselle.

— Ta Demoiselle, d'accord, dit Lombard qui, les bras croisés, sa cigarette fumant sous un de ses coudes, regardait fixement le sol, écoutant avec attention.

— Oh ! tout a été très net, très pur. Dès notre deuxième rencontre, je lui ai parlé de Marcella. Après ça, nous ne devions plus nous revoir... mais c'était plus fort que nous. Comme l'aimant et la limaille... nous ne pouvions pas rester éloignés longtemps l'un de l'autre.

« Marcella était au courant, moins d'un mois après. Ce fut moi qui lui appris tout. Oh ! ça ne lui causa aucun choc. Elle sourit juste un peu et attendit la suite. Je lui demandai alors de divorcer. Elle continua de sourire, d'un air songeur. A ma connaissance, elle n'avait jamais fait grand cas de moi. J'étais juste le type qui se déchaussait de l'autre côté du lit. Elle me dit que cela demandait réflexion. Des semaines, puis des mois passèrent. Elle prenait tout son temps pour réfléchir, me gratifiant de temps à autre de son sourire ironique. De nous trois, elle était bien la seule à jouir du moment.

« Tu comprends, avec ma Demoiselle, je ne voulais pas d'une liaison. C'était ma femme qu'elle devait être, car celle qui habitait ma maison n'était pas vraiment ma femme.

Il porta les mains à son visage en un geste las et secoua la tête.

— Ma Demoiselle m'a dit : « Ça ne peut pas durer comme ça. Nous sommes entre ses mains et elle ne l'ignore pas. Vous avez tort de lui faire la tête. Ça ne peut que l'inciter à agir de même. Parlez-lui comme on parle à une amie. Sortez-la un de ces soirs et ayez avec elle un entretien bien franc, bien net. Quand un homme et une femme se sont aimés, il doit en rester toujours quelque chose, ne fût-ce qu'un souvenir commun. Il subsiste certainement en elle quelque bon sentiment à votre égard que vous pourrez réveiller. Faites-lui voir que ce sera la meilleure solution, aussi bien pour elle que pour vous et moi. »

« Je pris donc deux fauteuils pour un spectacle et retins une table au restaurant où nous avions l'habitude d'aller ensemble, avant notre mariage. Puis je rentrai à la maison et je lui dis : « Sortons ensemble, veux-tu ? Ce soir, faisons comme autrefois... » Elle eut ce lent sourire que je lui connaissais et dit : « Pourquoi pas ? » Quand je la quittai pour aller prendre ma douche, elle était assise devant la coiffeuse, commençant à se préparer. A ce moment-là, je me sentis heureux et je me mis à siffloter sous la douche.

Il laissa tomber la cigarette qu'il avait allumée et l'écrasa sous son pied :

— Pourquoi n'a-t-elle pas refusé tout de suite ? Pourquoi m'a-t-elle causé cette fausse joie ? Parce qu'elle était ainsi : elle aimait laisser les gens en attente, pour les choses importantes comme pour les vétilles.

« Elle me regardait dans la glace, faire soigneusement ma raie, arranger ma pochette. Insensiblement, je me rendis compte que ses préparatifs n'avançaient pas et je voyais son fameux sourire reflété dans le miroir. Puis elle cessa même de feindre, se contentant de regarder mon reflet.

« Il y a deux histoires, celle qu'ils ont racontée et la mienne. Jusque-là, elles sont absolument identiques. Leur reconstitution est parfaite. Mais, à partir du moment où je m'apprêtais à mettre ma cravate, les deux histoires divergent complètement. C'est mon histoire que je vais te raconter, donc la vérité.

« Les mains posées devant elle, me regardant dans le

miroir, elle attendait que je lui pose la question. Et c'est ce que je fis après l'avoir observée pendant un moment : « Tu ne te prépares pas ? » Alors elle se mit à rire. Dieu, ce rire ! Jusqu'alors, j'avais ignoré à quel point un rire pouvait faire mal. Je revois mon visage pâlissant au-dessus du sien, dans la glace, quand elle me dit : « Mais ne laisse pas perdre les billets. Emmène-*la* à ma place. Elle peut bien avoir le spectacle et le dîner. Elle peut même t'avoir si ça lui fait envie... *mais pas comme mari.*

« Et je compris qu'elle n'en démordrait pas, qu'il en serait ainsi pour le reste de nos vies, et ça me parut terriblement long. Je ne sais ce qu'il advint de la cravate, je dus la laisser tomber. Je sais seulement que je ne la lui mis pas autour du cou. Je me revois levant la main pour la gifler, mais c'était un geste dont je n'étais pas capable et elle le savait bien, car elle me défia : « Vas-y, frappe-moi ! Mais ça ne t'avancera pas davantage. Que tu sois gentil ou méchant avec moi, ce sera exactement la même chose. » Après ça, comme toujours en pareil cas, nous nous dîmes des choses que nous n'aurions pas dû nous dire, tu sais ce que c'est ? Je lui lançai : « Tu ne tiens aucunement à moi ; alors, pourquoi diable t'accroches-tu ainsi ? » « Parce que tu pourrais avoir ton utilité, s'il venait des cambrioleurs. » « Ça, tu peux être sûre qu'à partir de maintenant, il ne faudra pas compter sur moi pour autre chose ! » « Je me demande si je remarquerai le changement. »

« Là-dessus, je saisis mon pardessus, mon chapeau, et je partis en claquant la porte, tandis qu'elle continuait à regarder le miroir de sa coiffeuse en riant. *Elle riait*, Jack. Elle n'était pas morte. Je ne l'ai pas touchée. Son rire m'a poursuivi jusque sur le palier et, pour ne plus l'entendre, j'ai descendu vivement l'escalier, sans attendre l'ascenseur...

Il s'arrêta et fut un moment avant de pouvoir continuer. La sueur perlait à son front contracté :

« Puis, quand je suis revenu, elle était morte, et ils

m'ont dit que c'était moi qui l'avais tuée, qu'elle avait suc-
combé à six heures huit. Ils l'ont su par sa montre qui
s'était brisée. Le crime a donc dû être commis dans les
dix minutes qui ont suivi le moment où j'ai claqué la porte
derrière moi. Maintenant encore, quand j'y pense, ça me
fait frissonner. Il devait déjà être dans l'immeuble, embus-
qué dans l'escalier, guettant le moment favorable... »

— Mais n'es-tu pas descendu par l'escalier ?

— Si, seulement il a pu se cacher entre notre étage et
celui du dessus, est-ce que je sais ? Peut-être même a-t-il
tout entendu et m'a-t-il vu partir... Peut-être ai-je si for-
tement claqué la porte qu'elle a rebondi sans se fermer ?
De la sorte, il aura pu la surprendre... c'est peut-être même
son rire qui l'aura empêchée d'entendre avant qu'il soit
trop tard...

— Il semblerait donc que ce soit un cambrioleur qui
l'ait tuée ?

— Oui, mais *pourquoi ?* Rien n'a été volé et c'est pour
cette raison que la police n'a pas retenu cette hypothèse.
Il y avait soixante dollars en billets, sur la coiffeuse, et on
n'y a même pas touché. Pas plus qu'à sa bague de brillants.
Or, en admettant que, son crime commis, il ait été effrayé
par quelque bruit extérieur, il n'avait qu'à tendre la main
pour prendre la bague et l'argent sur la coiffeuse. Et il les
a laissés.

Henderson secoua la tête :

— C'est la cravate qui m'a perdu. Elle était exactement
assortie à tout ce que je portais ce jour-là, et elle était habi-
tuellement accrochée au-dessous de toutes les autres, où
l'assassin ne se serait pas donné le mal d'aller la chercher.
Mais je l'avais prise pour m'habiller et, au plus fort de ma
colère, j'ai dû la laisser tomber. Il l'aura vue par terre,
comme il s'avançait pour surprendre Marcella. Dieu seul
sait qui était cet homme et pourquoi il l'a tuée !

— Peut-être a-t-il cédé à une impulsion morbide... Peut-être avait-il entendu les échos de votre dispute et compris qu'il pouvait commettre son crime avec toutes les chances de te le voir attribuer ? Ce sont des choses qu'on a vues, tu sais. Il y a des détraqués.

— Dans ce cas, on ne l'arrêtera jamais. Les plus difficiles à identifier, ce sont ces assassins-là. Peut-être un jour, par accident, sera-t-il pris pour tout autre motif et avouera-t-il ce crime avec le reste... mais bien trop tard pour que ça puisse me faire quelque chose !

— Et ce témoin important dont tu parlais dans ton message ?

— J'y arrive. Pour si mince qu'il soit, c'est mon seul rayon d'espoir. Même si on ne retrouve pas l'assassin, il y aurait un moyen de me disculper...

Tout en parlant, de son poing droit il frappait inlassablement le creux de son autre main.

— Il existe une femme, quelque part, qui pourrait me tirer de là, en disant simplement à la police à quelle heure elle m'a rencontré dans un certain bar. C'était à six heures dix et elle l'a constaté tout aussi bien que moi. Lors de la reconstitution, ils ont établi que je n'aurais pas pu commettre le crime et être dans ce bar à l'heure que je dis. Jack, si tu espères pouvoir faire quelque chose pour moi, si tu veux me tirer d'ici, il te faut retrouver cette femme. Elle est mon unique espoir.

Lombard demeura un moment pensif, puis demanda :
— Qu'a-t-on fait, jusqu'à présent, pour la retrouver ?
La réponse vint, décourageante :
— Tout. Tout ce qu'il était possible de faire.

Lombard se laissa tomber sur la couchette, à côté de son ami, mais le gardien réapparut au même instant, signifiant la fin de l'entretien.

— Au revoir, Hendy. Je reviendrai demain.
— Tu... tu vas quand même tenter quelque chose ?
— Cette question ! N'est-ce pas pour cela que je suis ici ?

VIII

LE 17ᵉ ET LE 16ᵉ JOUR
AVANT L'EXÉCUTION

Les mains enfoncées dans ses poches, Lombard tournait autour de la cellule en regardant ses pieds, comme s'il ne les avait encore jamais vus marcher :

— Hendy, il faut que tu tâches de faire mieux. Je ne suis pas un magicien. Je ne peux pas faire surgir cette femme d'un coup de baguette magique.

— Jack, dit Henderson avec lassitude, si tu crois que je n'ai pas tout essayé pour me rappeler... mais en vain!

— Ecoute, nous allons repartir à zéro. Aussi bien, il n'y a rien d'autre que nous puissions faire. Quand tu es arrivé, elle était déjà assise sur le tabouret. Souvent, on se rappelle plus clairement une vision fugitive qu'une personne avec qui l'on a conversé. Quelle a été la première impression que tu as eue d'elle?

— Une main qui prenait un bretzel.

— Puisque tu t'es levé pour lui parler, tu t'es bien rendu compte que cette main appartenait à une femme?

— Oui, je peux te dire qu'elle avait une jupe et qu'elle n'avait pas de béquilles, mais c'est tout. A travers elle, c'était ma Demoiselle que je voyais.

72

— Mais sa voix? Elle t'a bien parlé? Etait-ce la voix d'une femme cultivée ou non?

— Oui, sûrement. Et elle parlait comme tous ici, sans accent de province.

— C'est maigre. Et dans le taxi?

— Rien. Les roues tournaient, c'est tout.

— Et au restaurant?

— Rien. C'est inutile, Jack. Je ne peux rien me rappeler d'utile. Elle a mangé et parlé, voilà tout.

— Mais parlé de quoi?

— Oh! de choses sans conséquence. Le poisson était excellent. La soirée était vraiment très belle. Non, merci, pas d'autre cigarette.

— Tu me rendras fou! Ah! il faut vraiment que tu l'aies aimée, ta Demoiselle!

— Et je l'aime toujours. Mais ne parlons pas d'elle.

— Et au théâtre?

— Elle s'est levée à un moment. Je te l'ai déjà dit, mais tu m'as fort justement répondu que c'était une attitude et non un signalement.

— Oui, dit Lombard en se rapprochant, mais *pourquoi* s'est-elle levée? Voilà ce que tu n'arrives pas à te rappeler. Tu m'as dit que c'était au cours du spectacle. On ne se lève pas pendant une représentation, sans quelque bonne raison.

— Oui, mais je n'étais pas dans sa tête pour la connaître.

— Je crois que tu n'étais même pas dans la tienne. Enfin, laissons ça de côté pour l'instant. Du moment que nous savons quel a été l'effet, nous finirons bien par nous souvenir de la cause. Puisque tu ne m'es d'aucune utilité, il faut que je retrouve quelqu'un qui vous ait vus ensemble. Bon sang! deux personnes ne peuvent pas se promener pendant six heures à travers la ville, sans que quelqu'un les remarque!

— C'est ce que je croyais aussi, dit Henderson avec

un sourire triste, et j'ai dû me convaincre de mon erreur.

— C'est l'heure, dit le gardien.

* * *

— Aujourd'hui, c'est moi qui vais rester debout. Ça me changera et il n'y a vraiment place que pour un au bord de ce truc.

— Bon, tu sais ce qu'il me faut aujourd'hui ? Du matériel neuf. Des témoins de piètre importance, des gens qui n'ont pas été cités à comparaître lors du procès, des gens dont ni les flics ni ton avocat ne se sont occupés. Peu m'importe qu'ils n'aient fait que te frôler dans la rue. Tout ce que je veux, c'est être le premier à les contacter. Commençons par le bar.

— On en revient toujours au bar, soupira Henderson.

— Le barman a déjà été interrogé. Il n'y avait personne d'autre, en dehors de vous deux ?

— Non.

— Prends ton temps. Ne force pas ta mémoire. Détends-toi au contraire...

Quatre ou cinq minutes s'écoulèrent.

— Attends un peu... Il y avait une jeune fille dans un des boxes. Elle s'est retournée sur son passage. J'arrivais derrière et j'ai remarqué son regard. Ça t'intéresse ?

Le crayon de Lombard courut sur le calepin :

— C'est exactement le genre de choses que je recherche. Peux-tu me décrire cette fille ?

— Non. Encore moins que la femme avec qui j'étais. Elle a tourné la tête, c'est tout.

— Ensuite ?

— Le taxi. Le chauffeur a été interrogé. Ç'a été l'attraction comique du procès.

— Au restaurant, n'y avait-il pas une fille au vestiaire ?

— Si, mais c'est la seule qui ait une excellente raison de ne pas se rappeler ma compagne. J'étais seul quand je suis allé au vestiaire. Le fantôme m'avait quitté pour se rendre aux lavabos.

— Dans ce genre d'établissement, il y a toujours une dame des lavabos... Oui, mais du moment que tu n'étais plus avec elle, ça ne nous avancerait à rien. Le maître d'hôtel, le serveur, déjà vus. Cela nous amène au théâtre.

— Il y avait un portier, avec des moustaches en croc, comme sur les dessins comiques. Et je me souviens que le chapeau l'a surpris.

— Parfait. Je note ça. Une ouvreuse ?

— Oui, mais nous sommes arrivés en retard. Alors, elle n'a été pour moi que le rayon d'une lampe dans l'obscurité.

— Et pendant le spectacle ? Quand elle s'est mise debout, quelqu'un a pu la remarquer. Est-ce que la police a pensé à interroger les acteurs ?

— Non.

— Ça vaut toujours le coup d'être tenté. Je ne veux rien laisser passer. Même si c'est un aveugle qui vous a approchés, je veux le savoir... Qu'as-tu ?

— Tu viens de me rappeler quelque chose ! Un mendiant aveugle nous a accostés comme nous sortions du théâtre... Mais tu ne vas pas noter ça ! fit Henderson en voyant le crayon de son ami courir sur le papier. Ça ne peut te servir à rien !

— Tu crois ? Attends et tu verras. Après ?

— C'est tout. Il n'y a rien d'autre.

Lombard se leva et racla la grille avec sa clef, pour que le gardien vint lui ouvrir.

Rubrique des Communications personnelles, dans tous les journaux.

« *La jeune femme qui était assise en compagnie de quelqu'un dans un box, chez* Anselmo, *le 20 mai dernier, vers 18 h 15, et qui peut se rappeler certain chapeau orange l'ayant incitée à tourner la tête, voudrait-elle avoir l'amabilité de se mettre en rapport avec moi ? Elle était tournée vers le fond du bar. Si elle se souvient de l'incident, il est d'une importance vitale qu'elle me le fasse savoir d'urgence. Le bonheur de quelqu'un en dépend. Discrétion assurée. Écrire à J. L., Boîte 654, aux bons soins du journal.* »

Aucune réponse.

IX

LE 15ᵉ JOUR AVANT L'EXÉCUTION

LOMBARD

Une femme vulgaire, échevelée, sentant le chou, vint ouvrir :

— O'Bannon? Michael O'Bannon?

Elle ne lui en laissa pas dire plus.

— Écoutez, je suis déjà allée une fois à votre bureau aujourd'hui et le monsieur qui y est nous a donné jusqu'à mercredi. Nous n'avons aucunement l'intention de priver votre pauvre compagnie de cet argent. Elle doit en être à son dernier million de dollars, pour sûr!

— Madame, je ne viens pas vous réclamer d'argent. Je désirerais simplement parler à Michael O'Bannon qui, au printemps dernier, travaillait comme portier au Casino.

— Oui, je m'en rappelle de ça. C'est pas si souvent qu'il a du boulot. Y a des gens qui en cherchent, en priant le ciel de ne pas en trouver, dit-elle en élevant la voix, comme pour se faire entendre de quelqu'un.

De l'autre pièce, parvint un grognement qui fit penser Lombard à un phoque apprivoisé.

— Quelqu'un qui te demande, Mike. Entrez donc, monsieur.

Lombard passa dans une pièce dont une table, recouverte d'une toile cirée, occupait le centre. A côté, les jambes étendues sur une chaise, se tenait l'homme que Lombard venait voir. Il était vêtu d'un maillot de corps et d'un vieux pantalon. Il était en chaussettes, un journal hippique sur les genoux, et retira une pipe de sa bouche à l'entrée de Lombard.

— Que puis-je pour vous, monsieur? s'informa-t-il aimablement.

Lombard posa son chapeau sur la table et s'assit sans attendre d'y avoir été invité :

— Un de mes amis désirerait retrouver quelqu'un, commença-t-il d'un ton confidentiel, ayant réfléchi qu'il risquait d'intimider ces gens-là en leur parlant de police et de condamnation à mort. C'est même son plus cher désir et c'est pourquoi je suis ici. Vous l'avez vu en compagnie de cette personne, quand vous travailliez au Casino.

— Je voyais beaucoup de monde là-bas, comment voulez-vous...

— Oui, mais ça se passait un soir de mai et ils étaient arrivés en retard. Vous avez ouvert la porte de leur taxi. La dame avec qui était mon ami avait un chapeau très particulier, un chapeau orange, avec une plume toute droite qui vous a frôlé le nez quand la dame est passée devant vous, au point que vous avez suivi le chapeau du regard.

— Si c'était une femme, pour sûr qu'il va s'en rappeler! lança l'épouse du sieur, depuis le seuil de la pièce. Mais aucun des deux hommes ne lui prêta attention.

— Est-ce que vous vous en souvenez? La revoyez-vous avec son chapeau orange? demanda Lombard en se penchant vers son interlocuteur.

— Vous vous rendez pas compte, monsieur. J'voyais tant de gens chaque soir, et presque rien que des couples justement...

— Réfléchissez... essayez de vous rappeler, O'Bannon. Je vous en prie! C'est extrêmement important pour ce pauvre garçon, supplia Lombard, le regard rivé sur l'ancien portier, comme si, par la seule force de la suggestion, il espérait pouvoir réveiller sa mémoire.

O'Bannon secoua la tête :

— Non. De toute ma saison au Casino, je me rappelle seulement un type qu'était tout couvert de boue, parce qu'il était tombé la tête la première quand j'avais ouvert la portière...

Pour arrêter le flot d'inutiles réminiscences qui allait suivre, Lombard se leva :

— Alors, vous ne vous souvenez de rien? Vous en êtes bien sûr?

O'Bannon hocha la tête, mais sa femme intervint :

— Y aurait-il eu un petit quelque chose pour nous, si Mike avait pu se rappeler?

— Ma foi, je vous aurais certainement marqué ma satisfaction, si vous aviez été en mesure de me renseigner.

— T'entends, Mike? Essaye donc de te rappeler! fit la femme en secouant son mari. Essaye!

— Comment veux-tu que j'y arrive! Même si ç'avait été dans un coin de ma tête, à me secouer ainsi, comme un prunier, tu l'aurais fait partir.

— Bon, alors, je m'en vais.

En quittant la pièce, il entendit la femme dire avec exaspération!

— Bon sang, Mike, qu'est-ce que t'as? C'est pourtant pas sorcier ce que ce Monsieur te demande. Si tu peux même plus te rappeler un truc comme ça...

Comme il ouvrait la porte du palier, Lombard perçut encore des chuchotements et il eut un sourire crispé. Il commençait à descendre l'escalier d'un pas lent, quand la porte se rouvrit vivement derrière lui, et la femme d'O'Bannon se précipita vers la rampe :

— Attendez, m'sieur, partez pas! Il s'est souvenu... ça vient juste de lui revenir!

— Vraiment? fit Lombard d'un ton sec. Il s'arrêta de descendre, mais ne remonta point vers le palier, se contentant de sortir son portefeuille qu'il caressa du pouce :

— Demandez-lui si l'écharpe qui tenait son bras cassé était blanche ou noire?

Elle relaya la question vers l'intérieur de l'appartement et capta la réponse qu'elle transmit fidèlement à Lombard, sans même omettre la légère hésitation :

— Noire... Vous comprenez, pour le soir?

Lombard rempocha son portefeuille :

— Alors, ça n'était pas elle, dit-il d'un ton ferme en poursuivant sa descente.

X

LE 14ᵉ, LE 13ᵉ ET LE 12ᵉ JOUR AVANT L'EXÉCUTION

LA DEMOISELLE

Il y avait déjà plusieurs minutes qu'elle était perchée sur le tabouret quand il la vit. Et c'était d'autant plus curieux qu'il n'y avait encore que peu de monde au bar : son arrivée aurait dû être plus remarquée. Elle avait vraiment dû tout faire pour passer inaperçue.

Il commençait à peine son service et c'était à croire qu'elle avait calculé son coup pour arriver en même temps que lui. Pourtant, il était certain qu'elle n'était pas encore là quand il était sorti du vestiaire et avait balayé son domaine du regard. Quoi qu'il en fût, en revenant de servir un client, il la vit et s'approcha aussitôt :

— Mademoiselle ?

Il lui sembla qu'elle soutenait son regard avec une certaine insistance, mais tous les clients le regardaient en passant la commande.

Pourtant, son regard à elle était différent. Il semblait s'adresser personnellement à l'*homme*, et non au barman. C'était un regard qui disait : « Faites bien attention à moi. » Elle demanda un petit whisky avec de l'eau, et quand il s'éloigna pour exécuter la commande, il sentit qu'elle le

81

suivait du regard. Cela le déconcerta un bref instant, car il ne s'expliquait pas l'attention dont il était l'objet. Puis il n'y pensa plus.

Il lui apporta sa consommation et s'en fut servir un autre client.

Un intervalle s'écoula. Il l'avait oubliée, ne pensait plus à elle. Pendant cet intervalle, elle aurait dû modifier quelque peu sa position, ne fût-ce qu'en prenant son verre ou en tournant la tête. Mais elle demeurait immobile, comme un mannequin qu'on eût assis sur le tabouret. Une seule chose bougeait : ses yeux. Leur regard le suivait partout où il allait.

Ce fut quand il n'eut momentanément plus personne à servir qu'il découvrit à nouveau ce regard fixé sur lui. Il eut alors conscience qu'elle ne l'avait pas quitté des yeux. De nouveau, cela le déconcerta. Subrepticement, il fit face à la glace pour s'assurer que rien ne clochait dans son apparence. Non, il était comme à son ordinaire et, d'ailleurs, personne d'autre ne le regardait avec cette insistance qu'il n'arrivait pas à s'expliquer.

Car ça n'était pas par hasard qu'elle le suivait ainsi du regard, en pensant à autre chose par exemple. Non, c'était bien lui qu'elle regardait. Quand il eut fait cette constatation, il en demeura troublé. A son tour, il se mit à lui jeter des coups d'œil, à la dérobée, quand il ne se croyait pas observé. Toujours il se heurtait à son regard et se sentait suivi par lui quand il se détournait. Sa surprise finit par se muer insensiblement en malaise.

Jamais il n'avait vu un être humain demeurer aussi parfaitement immobile. Elle ne touchait pas plus à sa consommation que s'il ne l'avait pas servie. On eut dit un Bouddha féminin au regard mobile. Son malaise s'accentuant, il finit par s'approcher d'elle :

— Cette consommation ne vous convient pas, mademoiselle ?

C'était pour l'inciter à faire un geste, à bouger. La tentative échoua. Elle dit simplement d'une voix atone, sans presque remuer les lèvres :

— Laissez ça là.

Les circonstances étaient en sa faveur, car une femme n'est pas tenue de renouveler ses consommations, comme doit le faire un homme s'il désire être toujours bien accueilli dans un bar. Qui plus est, elle ne flirtait aucunement, ne cherchant pas un admirateur pour payer son verre. Son attitude était irréprochable et il ne pouvait donc rien contre elle. Il s'éloigna jusqu'à la courbe du comptoir avant de la regarder à nouveau, et constata qu'elle l'avait suivi des yeux.

Cela tournait à l'obsession. Il essaya de s'en libérer par un haussement d'épaules, tout en arrangeant son col, bien résolu à ne plus se retourner vers elle. Ce qui ne fit que rendre sa gêne plus grande encore. Maintenant, les clients, qui arrivaient en masse, lui procuraient un réel soulagement au lieu de l'agacer. Il était obligé de s'occuper d'eux et les manipulations que nécessitaient leurs commandes distrayaient son esprit de ce regard torturant. Mais, immanquablement, arrivait de nouveau un moment où il n'y avait plus de clients à servir, plus de verres à laver, plus rien à essuyer. Et le regard reprenait alors toute son emprise, tandis qu'il ne savait plus que faire de ses mains.

Il renversa un verre de bière, se trompa de touche en manœuvrant la caisse enregistreuse. A la fin, n'y pouvant plus tenir, il revint lui demander :

— Y a-t-il quelque chose que vous désiriez, mademoiselle ?

— Non. Pourquoi ?

— Excusez-moi, mais je vous rappelle peut-être quelqu'un ?

— Non, personne.

Il se mit à bafouiller :

— Je pensais que peut-être... La façon dont vous me regardiez...

Cette fois, elle ne répondit même pas, se contentant de garder les yeux fixés sur lui. Ce fut lui qui, finalement, dut battre en retraite, encore plus déconfit qu'avant.

Elle ne sourit ni ne parla, ne manifestant aucune contrition, mais pas non plus d'hostilité ouverte. Elle restait simplement assise là, à le regarder, avec l'impénétrable gravité d'un chat.

Elle avait découvert une arme terrible et s'en servait avec maîtrise. En temps ordinaire, les gens ne se rendent pas compte de ce qu'il peut y avoir d'insupportable à être regardé constamment pendant une heure — ou deux, ou trois — parce que c'est une chose qui n'arrive généralement jamais. Mais ça lui arrivait à lui et cela le minait, lui mettait les nerfs à bout. Et contre cela, il était sans défense, d'une part parce qu'il était obligé de rester dans le demi-cercle du comptoir, mais aussi à cause de la nature même de cette offensive. Chaque fois qu'il essayait de réagir, il comprenait que c'était en vain. Un regard est impalpable, insaisissable.

Des symptômes commencèrent à se manifester en lui, qu'il n'avait jamais constatés auparavant, et dans lesquels un médecin eût reconnu ceux de l'agoraphobie. Il était consumé par le désir de se cacher, de se réfugier dans le vestiaire, ou même sous le comptoir, afin qu'elle ne pût le voir. A une ou deux reprises, il s'essuya furtivement le front et ses yeux se tournèrent de plus en plus fréquemment vers la pendule, cette même pendule dont on lui avait dit, une fois, que dépendait la vie d'un homme.

Il lui tardait qu'elle s'en allât, et il se surprit à prier pour qu'elle partît. Mais il devenait de plus en plus évident qu'elle n'avait aucune envie de s'en aller, et que seule la fermeture du bar pourrait la chasser de son tabouret. Pourtant, elle n'était pas là pour attendre quelqu'un, car elle aurait été rejointe ou aurait manifesté de l'impatience depuis longtemps. Elle ne restait pas davantage là pour boire, puisqu'elle n'avait toujours pas touché au verre qu'il lui avait servi plusieurs heures auparavant. Non, elle n'était là que dans un but, un seul but : le regarder.

Alors il se mit à attendre l'heure de la fermeture avec une impatience fébrile. A mesure que les clients se raréfiaient, l'emprise du regard devenait de plus en plus forte.

Il cassa un verre, et c'était une chose qui ne lui était pas arrivée depuis des mois. Il la maudit intérieurement en se baissant pour ramasser les morceaux.

Enfin, il fut quatre heures, l'heure de la fermeture. Deux hommes engagés dans une conversation animée se levèrent sans qu'il fût besoin de les en prier et se dirigèrent vers la sortie, tout en continuant de parler. Mais elle demeura impassible.

— Bonne nuit, messieurs ! lança-t-il en direction de ceux qui s'en allaient, pour lui faire comprendre.

Elle ne broncha point.

Il se mit à éteindre les lumières de la salle, ne laissant allumé que le réflecteur dissimulé derrière les bouteilles. Il ne fut plus dès lors qu'une silhouette noire se détachant sur cette ultime source de clarté et elle, un spectre vaguement lumineux qui le regardait dans la pénombre.

Il prit le verre qui était demeuré devant elle, des heures durant, et le vida d'un geste rageur.

— On ferme, dit-il d'un ton rogue.

Alors, elle bougea enfin et se retrouva debout près du tabouret, auquel elle demeura un instant appuyée, pour donner à son sang le temps de s'habituer à ce changement de position. Tout en déboutonnant sa veste blanche, il lui jeta avec colère :

— Quel est votre jeu ? Qu'avez-vous donc en tête ?

Elle se dirigea posément vers la sortie, à travers le bar obscur, sans répondre, comme si elle n'avait pas entendu.

Il n'aurait jamais pensé que la vue d'une jeune fille quittant l'établissement où il travaillait pût lui causer un aussi violent soulagement. Il s'appuya au comptoir, comme épuisé. La porte était éclairée par une veilleuse et, quand elle arriva dans sa clarté, la jeune fille se retourna pour le regarder, longuement, gravement. Comme pour bien lui faire comprendre qu'il n'avait pas rêvé et que ce n'était point la fin, mais seulement un entr'acte.

Quand il eut fermé la porte à clef et qu'il se retourna, il la vit sur le trottoir, à quelques mètres à peine, comme l'attendant.

Il fut obligé de passer devant elle, car c'était son chemin. Bien qu'elle tournât la tête à mesure qu'il avançait, il se rendit compte qu'elle allait le laisser passer sans dire un mot. Alors ce fut lui qui parla, bien que, la seconde d'avant, il eût eu l'intention de l'ignorer.

— Qu'est-ce que vous me voulez ?

— Vous ai-je demandé quelque chose ?

Il fit mine de poursuivre son chemin, mais se retourna pour l'accuser :

— Vous êtes restée assise là pendant des heures, sans me quitter un seul instant du regard ! Et maintenant, je vous retrouve là...

— Est-il interdit de stationner dans la rue ?

Il la menaça du doigt :

— Je vous avertis, ma petite ! Je vous le dis pour votre bien...

Mais comme elle demeurait silencieuse, lèvres closes, il repartit sans achever sa phrase, respirant bruyamment. Il ne se retourna point, mais vingt pas plus loin, il eut la certitude qu'elle le suivait. Elle ne cherchait d'ailleurs aucunement à le dissimuler : *tick-chick*, *tick-chick*, faisaient ses élégants petits souliers.

Il se retourna. Elle continua d'avancer posément, comme s'il était trois heures de l'après-midi. Quand elle le vit planté sur son chemin, elle s'arrêta, mais ne recula pas. Alors, il lui cria en pleine figure :

— Allez-vous-en, maintenant! Ça suffit comme ça, vous m'entendez? Allez-vous-en ou je...

— Je vais aussi dans cette direction.

De nouveau, les circonstances étaient en faveur de la jeune fille. Ah! si les rôles avaient été inversés... Mais quel homme oserait aborder un policeman pour se plaindre qu'une jeune fille le suit? Il faudrait n'avoir aucun sens du ridicule. Elle ne l'insultait pas, ne le sollicitait point, elle marchait simplement dans la même direction que lui. Il dut donc se contenter de repartir après avoir émis une sorte de hennissement qui se voulait agressif, mais trahissait seulement son impuissance.

Dix pas... quinze... vingt. Derrière lui, comme à un signal donné, le bruit reprit : *tick-chick*, *tick-chick*, *tick-chick*...

Il tourna le coin de la rue et aperçut enfin l'entrée du métro aérien. Il gravit l'escalier, se retourna, la vit apparaître dans l'ouverture béante au-dessous de lui. Il fit fonctionner le tourniquet et demeura de l'autre côté, en position de défense.

Elle atteignit le haut des marches du même pas égal et continua posément d'avancer, comme si elle ne le voyait pas de l'autre côté du tourniquet.

— Allez-vous-en, je vous dis! lança-t-il, en montrant les dents à la façon d'un chien prêt à mordre. Retournez d'où vous venez!

Et comme elle avait une pièce à la main, il prévint son geste en collant le poing sur l'ouverture du tourniquet. Sans sourciller, elle passa à l'autre tourniquet, mais il l'y précéda également, et revint au premier quand elle fit de même. Les rails se mirent à vibrer comme approchait un des trains, très espacés à cette heure de la nuit.

Alors, il voulut la chasser en lui lançant son poing au

visage. Si le coup l'avait atteinte, elle serait tombée à la renverse, mais elle écarta simplement la tête, d'un air vaguement dégoûté, comme quelqu'un qui vient de déceler dans l'air quelque mauvaise odeur. Au même instant, on frappa de façon impérieuse contre une vitre. Le chef de station ouvrit la porte de son petit réduit et passa la tête dans l'entrebâillement :

— C'est bientôt fini, oui ? Allez-vous laisser les gens entrer ou quoi ?

Comme ça n'était pas lui qui avait sollicité l'intervention de l'employé, il estima que l'interdit était levé et expliqua, pour se disculper :

— Cette fille doit être folle ! Elle n'a cessé de me suivre dans la rue, et je n'arrive pas à m'en débarrasser.

De sa voix calme et indifférente, elle s'enquit :

— Êtes-vous seul autorisé à prendre le métro ici ?

Il en appela au chef de station, qui demeurait comme suspendu en oblique dans l'entrebâillement de la porte :

— Demandez-lui donc où elle va ! Elle n'en sait même rien !

Ce fut à l'employé qu'elle s'adressa, mais l'emphase de la réponse sembla indiquer un sous-entendu :

— Je m'en vais à la station de la 27e Rue, entre la Seconde et la Troisième Avenues. Ai-je, oui ou non, le droit de prendre le métro ici ?

Le visage de l'homme qui lui barrait le passage pâlit soudain. Car la station de la 27e Rue, c'était aussi la sienne. Elle savait où il allait ; alors, à quoi bon chercher à la semer ?

— Entrez donc, mademoiselle, dit l'employé, tranchant le conflit d'un geste majestueux.

Elle fit disparaître sa pièce dans l'autre tourniquet sans que, cette fois, il songeât à s'y opposer. Il était comme paralysé par le choc de la découverte qu'il venait de faire : *elle savait où il allait.*

Un train entra en gare, mais c'était celui qui allait dans la direction opposée. Il repartit, se fondit dans le lointain, tandis que la station retrouvait son calme.

Elle se dirigea vers l'autre extrémité du quai, là où déboucherait la rame allant dans sa direction, et se figea en position d'attente. Lui avait fait de même et se trouvait à deux piliers d'elle mais, guettant l'arrivée du train, elle ne le voyait pas. Puis, sans s'en rendre compte, elle se remit en marche pour tromper le temps. Continuant ainsi d'avancer, elle sortit du rayon de vision du chef de station, atteignit l'endroit où finissait le toit et où le quai se rétrécissait jusqu'à n'être plus qu'une bande étroite bordant la voie. Là, elle s'arrêta, prête à revenir mais, avant même d'amorcer le demi-tour, elle eut soudain conscience du danger qu'elle courait. Brusquement, elle fit volte-face.

Il était encore à une certaine distance d'elle et semblait marcher normalement, bien que ses pieds ne fissent aucun bruit. Mais elle surprit le regard qu'il jeta au troisième rail, le rail électrique.

Elle comprit ce qui l'attendait : un coup de coude accompagné d'un croche-pied, au moment où il arriverait à sa hauteur. Avec épouvante, elle constata qu'elle n'était plus dans le rayon visuel du chef de station. Elle regarda l'autre quai, mais une rame venait de passer et, à cette heure-là, il n'y avait plus personne à attendre. Et le quai où elle se trouvait se terminait à quelques mètres derrière elle, au bout de l'étroit prolongement. Si elle reculait, sa situation serait encore plus désespérée, car elle se trouverait coincée dans un véritable cul-de-sac. Pour rejoindre le milieu du quai, se rapprocher de la cabine du chef de station, elle devait passer près de lui... et c'était justement ce qu'il escomptait.

Si elle criait maintenant, sans plus attendre, dans l'espoir d'alerter l'employé, elle risquait de précipiter justement ce qu'elle voulait éviter. Il suffisait de voir le visage de l'homme pour comprendre qu'un cri ne ferait pas faiblir sa résolution, bien au contraire. Elle n'avait que trop bien réussi à l'effrayer, le pousser à bout...

Elle se mit à avancer, se tenant le plus loin possible de la voie, s'adossant aux panneaux publicitaires qui bordaient le quai et contre lesquels elle entendait bruire sa robe.

Alors, il obliqua vers elle, pour lui couper le chemin. L'un et l'autre se mouvaient avec une lenteur qui ajoutait à l'horreur de se trouver sur cette plate-forme déserte, trois étages au-dessus de la rue aux réverbères espacés.

Il continuait d'avancer et elle aussi. Encore deux ou trois pas, et ils se rencontreraient immanquablement.

Alors, hors de leur vue et de façon inattendue, ils entendirent fonctionner le tourniquet, et une jeune négresse s'avança sur le quai dans leur direction.

Lentement, ils se détendirent, conservant la pose dans laquelle cette arrivée les avait surpris. Elle s'appuya plus lourdement aux panneaux publicitaires, comme si ses jambes avaient brusquement molli. Lui tapota machinalement un distributeur de chewing-gum qui était à portée de sa main, puis s'éloigna enfin avec une nonchalance étudiée. Pas un mot n'avait été prononcé pendant cette pantomime tragique. Et cela ne se reproduirait plus. Une fois encore, elle avait eu le dessus.

Quand la rame arriva, ils montèrent tous les deux dans le même wagon, mais par des portes situées aux deux extrémités. Ils étaient séparés par toute la longueur du wagon, au milieu duquel la jeune négresse regardait la liste des stations, comme pour en choisir une au hasard, afin d'y poursuivre son commerce nocturne.

A la station de la 28e Rue, ils descendirent chacun à un bout du wagon et, sans même avoir à se retourner, il eut conscience qu'elle le suivait. Entre eux, la distance demeurait égale. Elle savait dans quel immeuble il entrerait et il savait qu'elle le savait. Aussi la filature était-elle devenue purement machinale. Un seul point d'interrogation subsistait : *pourquoi ?*

Il entra sans se retourner, mais ses oreilles continuèrent à percevoir l'obsédant *tick-chick, tick-chick,* sur l'autre trottoir. Elle ne s'arrêta qu'en face de la maison et demeura plantée là, le regard fixé sur deux des douze fenêtres obscures de la façade.

Ces deux fenêtres ne tardèrent pas à s'éclairer, puis redevinrent presque aussitôt obscures. Toutefois, peut-être à cause du reflet d'un réverbère, les rideaux de l'une d'elles semblèrent bouger.

La jeune fille se sut observée, mais continua imperturbablement sa faction.

Un taxi passa dont le chauffeur lui jeta un regard curieux, mais sans plus, car il avait déjà un client. Une rame de métro aérien glissa au bout de la rue, tel un ver luisant.

Brusquement, un policeman apparut près d'elle, surgi de nulle part. Il devait l'observer depuis un moment, sans qu'elle s'en doutât.

— Mademoiselle, une dame de l'immeuble d'en face a porté plainte, disant que vous aviez suivi son mari depuis qu'il a quitté son travail et qu'il y avait une demi-heure que vous surveilliez leurs fenêtres.

— Oui, c'est exact.

— Alors, vous feriez mieux de circuler.

— Je vous prie de prendre mon bras et de m'entraîner jusqu'au coin de la rue, comme si vous m'emmeniez.

Il s'exécuta, sans trop d'assurance, et quand ils s'arrêtèrent enfin, hors de vue des fenêtres, elle lui tendit un papier :

— Tenez.

Il examina le document à la clarté incertaine d'un proche réverbère.

— Vous n'avez qu'à lui téléphoner à la Brigade criminelle, si vous voulez une confirmation. J'agis ainsi avec son approbation.

— Du travail de surveillance... bon, bon, fit le policeman avec un respect accru.

— Et, à l'avenir, ne tenez aucun compte des plaintes que ces gens pourront formuler à mon sujet. Vous en recevrez probablement un grand nombre, au cours des jours qui vont suivre.

Après que le policeman l'eut quittée, elle entra dans une cabine publique, pour donner un coup de téléphone.

— Alors, comment ça marche? demanda la voix à l'autre bout du fil?

— Il perd déjà son sang-froid. Il a cassé un verre, au bar, et il a failli me précipiter sur les rails du métro, voici moins d'une heure.

— Ça serait donc bien ça. Mais soyez prudente, tenez-vous à distance quand vous êtes seule avec lui. N'oubliez pas, surtout, qu'il ne doit point se douter de ce qui vous pousse à agir ainsi. C'est cette incertitude qui le mine et finira par l'amener à ce que nous voulons. Mais s'il connaissait le fin mot de l'histoire, c'en serait fini de votre emprise sur lui.

— A quelle heure part-il travailler, d'ordinaire?

— Il quitte son appartement, tous les jours, vers cinq heures de l'après-midi.

— Dès demain, il me retrouvera à pied d'œuvre.

La troisième nuit, le gérant s'approcha du bar:

— Qu'est-ce qu'il y a? Pourquoi ne voulez-vous pas servir cette demoiselle? Je vous observe et ça fait vingt minutes qu'elle est là. Vous ne la voyez pas, peut-être?

Son visage était terreux avec des traînées luisantes:

— Je... Mr. Anselmo, répondit-il à mi-voix pour que

les autres n'entendissent pas, ça n'est plus une vie... elle me torture... vous ne pouvez pas comprendre...

Il était au bord des larmes. A un pas d'eux, la jeune fille les regardait, avec la paisible assurance d'une enfant.

— Trois nuits qu'elle est là, comme ça... Elle me regarde...

— Elle vous regarde parce qu'elle attend d'être servie, le rabroua le gérant qui ajouta, après l'avoir dévisagé plus attentivement : Qu'est-ce qu'il y a, vous êtes malade? Si vous êtes malade, rentrez chez vous, je vais téléphoner à Peter de venir vous remplacer...

— Non, non! protesta-t-il vivement, avec comme un sanglot dans la voix. Je ne veux pas rentrer chez moi... elle me suit dans les rues et passe toute la nuit sous mes fenêtres! J'aime encore mieux rester ici, où il y a du monde.

— Cessez de dire des sottises et prenez sa commande, ordonna sèchement le gérant. Ayant dit, il s'éloigna en jetant simplement un regard par-dessus son épaule, constatant derechef combien cette cliente était inoffensive et comme il faut.

— Hello! dit amicalement le chef de station dans l'ouverture du guichet au rebord duquel elle s'appuyait. C'est rigolo, ce type, qui vient de passer, et vous, vous arrivez toujours en même temps et vous ne semblez pourtant pas vous connaître. Vous avez remarqué?

— Oui, j'ai remarqué, répondit-elle. C'est que nous venons chaque soir du même endroit.

Elle laissait sa main reposer sur le bord du guichet, comme si ce contact avait une vertu protectrice, tout en bavardant avec l'employé :

— Belle nuit, hein?... Comment va votre petit garçon?

De temps à autre, elle tournait la tête vers le quai où un homme solitaire marchait ou se tenait immobile. Mais jamais elle n'allait de son côté, et elle ne quittait le chef de station que lorsque la rame s'arrêtait devant eux.

* *
*

Une rame de métro glissa au bout de la rue, tel un ver luisant. Un taxi passa dont le chauffeur lui jeta un regard curieux, mais sans plus, car il rentrait au garage.

Soudain, sans avertissement, la porte de l'immeuble auquel appartenaient les deux fenêtres, s'ouvrit pour livrer passage à une femme échevelée, qui semblait un projectile lancé par le goulet obscur du couloir. Elle avait enfilé un manteau par-dessus sa chemise de nuit et brandissait un vieux balai. Elle fonça droit vers la silhouette plantée de l'autre côté de la rue.

La jeune fille, pivotant vivement sur ses talons, gagna le coin de la rue, tourna dans une artère transversale, puis dans une autre encore, mais sans avoir vraiment l'air de fuir. Simplement comme si elle s'en allait parce que plus rien ne l'intéressait dans ce secteur.

— Trois jours que ça dure! braillait la virago. Reviens-y, et je t'en ferai passer l'envie!

Déçue dans son ardeur combative, elle regagna sa maison, en brandissant de façon menaçante son arme improvisée.

Quelques instants plus tard, la jeune fille revint prendre sa faction, les yeux levés vers deux fenêtres de la maison d'en face, semblable à une chatte épiant un trou de souris.

Une rame de métro... un taxi...

— Bientôt, dit la voix au bout du fil. Encore un jour, pour l'avoir complètement à bout de résistance. Et demain soir, peut-être...

94

* *
*

C'était son jour de repos et cela faisait plus d'une heure qu'il essayait de la semer. Il allait encore s'arrêter; elle connaissait maintenant les signes précurseurs. A trois reprises déjà, il avait fait halte et elle l'avait imité jusqu'à ce qu'il repartît. Mais, cette fois, elle décela une différence. Il s'arrêtait comme malgré lui, comme si quelque ressort venait de casser en lui. Il se trouvait en plein soleil et elle le vit chercher l'appui du mur, derrière lui. Le paquet qu'il avait sous le bras glissa, tomba par terre, sans qu'il tentât de le retenir ou de le ramasser.

Elle s'immobilisa à quelque distance de lui, d'un air indifférent, mais sans le quitter du regard.

Elle le vit battre des paupières, de plus en plus rapidement, et, soudain, des larmes roulèrent sur son visage. Il se mit à pleurer sans retenue, à la vue de tous les passants.

Deux personnes s'arrêtèrent, d'abord incrédules. Puis il y en eut quatre, huit... La jeune fille et lui se trouvèrent enfermés au sein d'un groupe, d'instant en instant plus compact. Il avait dépassé le stade de l'amour-propre, peu lui importait l'humiliation. Il en appelait aux curieux, implorant presque aide et protection contre elle :

— Demandez-lui ce qu'elle me veut! gémit-il bruyamment. Demandez-le lui! Ça fait je ne sais combien de jours qu'elle me suit ainsi... sans arrêt, sans arrêt! Je n'en puis plus! Je suis à bout!

— Est-il saoul? demanda une femme à son amie.

La jeune fille demeurait sur place, ne cherchant pas à fuir l'attention qu'il l'obligeait à partager avec lui. Elle paraissait si digne, si comme il faut, et lui, si grotesquement comique, que le résultat ne tarda point, car la foule est souvent sadique. On vit éclore des sourires, puis on rit ouvertement, des lazzi s'entrecroisèrent, et bientôt tout le groupe se moqua impitoyablement de lui. Parmi tous

95

ces visages, un seul demeura impassible et neutre : celui de la Demoiselle.

En se donnant en spectacle, il n'avait fait qu'aggraver sa situation. Maintenant, il avait trente tourmenteurs au lieu d'un :

— Je vous dis que je n'en peux plus ! Faut que je lui fasse quelque chose à cette... !

Brusquement, il marcha vers elle, comme pour la frapper. Aussitôt des hommes s'interposèrent, lui saisirent les bras. Il y eut une mêlée confuse et il aurait pu finir par être écharpé, si elle n'était intervenue, en disant d'une voix calme, mais qui portait :

— Non, laissez-le. Laissez-le aller.

Mais il n'y avait aucune chaleur, aucune compassion dans sa voix. Elle pensait simplement : « Laissez-le moi. Il m'appartient. »

Les bras l'abandonnèrent, et il se retrouva de nouveau seul au milieu du cercle. Seul avec elle.

Alors, comme une bête traquée, il tenta à plusieurs reprises de rompre ce cercle qui l'emprisonnait et finit par y parvenir. Libéré, il s'enfuit à toutes jambes, loin de cette fille au calme visage qui restait là à le suivre du regard, si mince, si frêle dans son manteau.

Puis, sans s'attarder à savourer sa victoire, elle se remit en marche, comme entraînée dans le sillage de cet homme qui fuyait, en plein midi, dans les rues de New York.

Presque aussitôt, il sentit que la poursuite avait repris. Il jeta un coup d'œil par-dessus son épaule et la vit. Elle attendit qu'il tourne de nouveau la tête et, alors, leva un bras, comme pour lui intimer de s'arrêter.

Maintenant, c'était le moment, elle le sentait. Burgess ne pourrait manquer de l'approuver. Cette foule moqueuse avait achevé de le rompre et il serait comme une cire molle entre des mains habiles. Elle n'avait plus qu'à le faire s'arrêter, puis à appeler Burgess pour qu'il vienne le prendre en charge. « Êtes-vous prêt à reconnaître que, dans la nuit du 20 mai, vous avez vu Henderson en compagnie d'une certaine femme ? Pourquoi avez-vous dit le contraire ? Qui vous a forcé à agir ainsi... ou payé pour le faire ? »

Il s'était arrêté au coin de la rue, regardant autour de lui d'un air affolé, comme s'il entendait sonner l'hallali. Il était en proie à la panique la plus abjecte, elle s'en rendait parfaitement compte. Pour lui, elle n'était plus une jeune fille qu'il aurait pu assommer d'un coup de poing, s'il avait voulu, mais Némésis incarnée.

Elle éleva de nouveau le bras, tandis que la distance diminuait rapidement entre eux. Mais ce geste agit sur lui à la façon d'un coup de fouet, achevant de l'affoler.

Coude à coude au bord du trottoir, des gens attendaient le changement de feux pour traverser. Quand il vit qu'elle allait le rejoindre, il se jeta contre ce mur humain, tel un clown bondissant à travers un cerceau de papier.

Elle s'arrêta pile, comme si ses deux pieds avaient été soudainement pris dans une crevasse du trottoir. Un frein, appuyé à fond, hurla à la mort le long de la chaussée. En un geste fou, elle porta les deux mains à ses yeux, mais pas assez vite cependant pour ne pas voir le chapeau voler en l'air, décrire une invraisemblable parabole.

Une femme hurla, puis une rumeur horrifiée monta de la foule.

XI

LE 11ᵉ JOUR AVANT L'EXÉCUTION

LOMBARD

Lombard le suivait depuis une heure et demie, pensant que rien certainement n'est plus lent à suivre qu'un mendiant aveugle. N'ayant pas de chien pour le guider, il avançait à un train de tortue, faisant appel à un passant chaque fois qu'il lui fallait traverser une rue, et sur son passage les oboles pleuvaient, si bien qu'il avait tout à gagner à marcher lentement.

C'était extrêmement pénible pour Lombard, conscient du temps qui fuyait. Parfois, il s'arrêtait devant une vitrine, à seule fin de pouvoir repartir ensuite d'un pas normal jusqu'à ce qu'il eût de nouveau rejoint le mendiant.

Ça ne durerait tout de même pas indéfiniment. Ce mendiant était un être humain. Il lui fallait bien rentrer quelque part pour dormir. Enfin, alors que Lombard commençait à croire que ce moment ne viendrait jamais, l'aveugle disparut à l'intérieur d'une maison.

L'un derrière l'autre, ils étaient parvenus dans un quartier où il n'y avait plus d'aumônes à espérer, au bout d'une impasse que barrait une voie de chemin de fer surélevée.

Lombard pressa le pas et, quand il se risqua dans le

sordide couloir, il put encore entendre le tapotement de la canne dans l'escalier. Il s'approcha de la cage obscure et se rendit compte que, parvenue au troisième étage, la canne s'éloignait vers l'arrière de la maison.

L'énergie qu'il avait si longtemps comprimée en lui fit qu'il gravit ces trois pénibles étages sans presque s'en rendre compte.

Arrivé sur le palier, il attendit que son souffle redevînt normal. Se rappelant que les aveugles ont l'ouïe particulièrement fine, il progressa avec souplesse et légèreté, ne faisant pas gémir une seule lame du vieux parquet.

Il y avait deux portes au fond du couloir, mais l'une était celle des W.C. Lombard colla son oreille à l'autre et écouta.

Aucune lumière, évidemment, ne filtrait sous le battant, mais il entendait, de temps à autre, quelqu'un bouger. Cela le fit penser à quelque animal s'enfonçant dans son terrier, cherchant à s'y installer confortablement pour passer la nuit. L'aveugle devait être seul, car il ne parlait pas.

Lombard estima qu'il avait attendu assez longtemps et frappa.

Instantanément, tout mouvement cessa à l'intérieur. Un silence palpitant, un silence cherchant à faire croire que le terrier était vide.

Lombard frappa de nouveau :

— Ouvrez!

Quand il eut frappé pour la troisième fois, de façon plus impérieuse et prolongée, une lame de plancher craqua timidement, et une voix chuchota dans la rainure de la porte :

— Qui est là?

— Un ami.

Ce mot rassurant ne fit qu'accroître l'effroi de l'autre côté de la porte :

— Je n'ai pas d'amis. Je ne vous connais pas.

— Laissez-moi entrer. Je ne vous ferai pas de mal.

— Je ne peux pas. Je suis seul ici, sans défense. Je ne peux laisser entrer personne.

Lombard comprit qu'il s'inquiétait pour sa recette de la journée.

— Vous pouvez m'ouvrir la porte une minute. Je voudrais vous parler.

— Allez-vous-en! Allez-vous-en de devant ma porte, ou j'appelle au secours par la fenêtre!

Mais c'était une imploration plus qu'une menace, et personne ne bougea de part et d'autre de la porte. Finalement, Lombard sortit son portefeuille. Le plus gros billet qu'il contînt était de cinquante dollars. il le choisit, de préférence aux autres, et se baissa pour le glisser sous la porte.

— Baissez-vous et passez la main au bas de la porte... Là, est-ce que ça ne vous prouve pas que je n'ai point l'intention de vous voler? Allez, ouvrez-moi donc.

Après encore une brève hésitation, il y eut un bruit de chaîne décrochée, puis un verrou glissa contre le vantail et une clef tourna dans la serrure. Enfin, la porte s'ouvrit et Lombard revit, en face de lui, le visage aux lunettes noires.

— Il y a quelqu'un avec vous?

— Non, je suis seul. Et, inutile d'avoir peur, je ne suis pas venu pour vous faire du mal.

— Vous êtes de la police?

— Non, je suis simplement quelqu'un qui veut vous parler... combien de fois faut-il vous le répéter? s'impatienta Lombard, en le repoussant de côté pour entrer dans la pièce enténébrée, d'où disparut bientôt jusqu'au reflet de l'ampoule éclairant le couloir quand le mendiant referma la porte.

— Vous pourriez bien allumer...

— Non, dit l'aveugle, comme cela, nous sommes mieux à égalité. Si vous venez simplement pour me parler, vous n'avez pas besoin de lumière.

Lombard entendit gémir les ressorts fatigués d'un sommier. Le mendiant venait sans doute de s'asseoir sur son pécule, dissimulé sous le matelas.

A tâtons, il trouva lui-même un fauteuil branlant dans lequel il s'installa.

— Est-ce que je peux fumer, au moins ? dit-il. Vous devez bien fumer aussi, non ?

— Quand j'ai de quoi, oui, répondit l'autre, circonspect.

— Tenez, alors, servez-vous...

Il y eut le déclic d'un briquet et un petit cercle de clarté éveilla la chambre de son sommeil.

L'aveugle était assis au bord du lit, sa canne en travers de ses genoux, pour le cas où il lui faudrait se défendre. En ressortant de la poche, la main de Lombard, au lieu d'un paquet de cigarettes, exhiba un revolver qu'il braqua sur son interlocuteur en répétant :

— Tenez... servez-vous.

L'aveugle devint d'une rigidité de pierre et sa canne roula par terre. Puis, en un geste spasmodique, il porta les deux mains à son visage :

— Je savais bien que vous en vouliez à mon argent ! Je... j'aurais pas dû vous laisser entrer !

Lombard rempocha le revolver aussi calmement qu'il l'avait sorti :

— Vous n'êtes pas aveugle. Je le savais déjà, d'ailleurs. Un billet d'un dollar a la même taille et la même forme qu'un de cinquante. Pour un dollar, ça ne valait pas le coup d'ouvrir votre porte, car vous avez certainement récolté bien plus au cours de la journée. Mais cinquante dollars, c'était autre chose. Seulement, un aveugle n'aurait pas su dire s'il s'agissait d'un ou de cinquante dollars. Vous, vous l'avez vu à la clarté qui filtrait du couloir sous votre porte, et c'est pourquoi vous vous êtes décidé à m'ouvrir.

Lombard, apercevant une bougie à demi consumée,

collée sur le dessus de la cheminée, l'avait allumée avec son briquet, tout en parlant.

— Vous êtes de la police! gémit le mendiant en se passant une main sur le front. J'aurais dû m'en douter...

— Non, je ne suis pas de la police, et je ne viens pas vous chercher noise parce que vous éveillez la compassion de gens en vous faisant passer pour infirme.

— Alors que me voulez-vous?

— Je veux que vous vous rappeliez quelque chose que vous avez *vu*, monsieur l'Aveugle, un soir de mai dernier, alors que vous mendiiez devant le Casino.

— Mais j'y vais presque tous les soirs, pendant la saison...

— Sans doute... Toutefois, vous devez avoir une bonne raison de vous rappeler la soirée qui m'intéresse. Ce soir-là, un homme et une femme sont sortis ensemble du Casino. La femme avait un chapeau orange, très voyant, avec une plume toute droite. Vous les avez accostés, comme ils s'apprêtaient à monter dans un taxi. Sans prendre garde, la femme a fait tomber sa cigarette allumée dans votre sébile, et vous vous y êtes brûlé les doigts. Voyant cela, l'homme a vivement retiré le mégot de votre sébile et l'a remplacé par deux dollars. Vous vous en souvenez sûrement... ça n'est pas tous les soirs que vous vous brûlez les doigts en cherchant dans votre sébile, ni qu'une même personne vous donne deux dollars à la fois.

— Et si je vous disais que je ne m'en souviens pas?

— Alors, je vous traînerais jusqu'au poste le plus proche, pour y dénoncer votre imposture. Vous feriez un peu de taule et après ça, vous seriez piqué chaque fois qu'un flic vous verrait mendier dans la rue.

— Et si je dis que je m'en souviens?

— Alors, je vous demanderai de répéter ce que vous avez vu à un inspecteur de police, qui est de mes amis. Je pourrai même l'amener ici, si vous préférez...

— Mais, pour moi, ça reviendra au même! s'écria l'autre. Si je dis que je les ai *vus*, on saura que je ne suis pas aveugle!

— Non, car vous direz ça à mon ami et à lui seul. Je puis vous promettre qu'il vous laissera en paix.

— Bon, alors, oui, je les ai vus, dit le mendiant à mi-voix. D'ordinaire, je garde les yeux fermés, même derrière mes lunettes, quand je suis dans un endroit éclairé. Mais la brûlure de la cigarette me les a fait ouvrir pour de bon.

— Était-ce lui? demanda Lombard en sortant une photo de son portefeuille.

Le mendiant releva ses lunettes noires sur son front et examina l'instantané avec attention :

— Oui, on dirait. Évidemment, je n'ai fait que l'entrevoir, et il y a déjà un bout de temps, mais il me semble bien que c'est lui.

— Et elle? Sauriez-vous la reconnaître si vous la revoyiez?

— Je l'ai déjà revue.

— Quoi? s'exclama Lombard en se levant d'un bond et se penchant vers son interlocuteur qu'il saisit par l'épaule : Quand ça? Où? Parlez!

— Peu après, le lendemain soir. C'est comme ça que j'ai su que c'était elle. Je me trouvais devant un de ces grands hôtels, tout illuminés. J'ai entendu des pas descendre le perron : un homme et une femme. Puis elle a dit : « Attendez une minute... Ça me portera peut-être bonheur. » J'ai compris qu'elle parlait de moi. Elle s'est approchée et a mis un *quarter* dans ma sébile. Je sais reconnaître les différentes pièces au son. C'est alors, à un petit détail, que j'ai compris que c'était elle. Elle est restée un moment devant moi, ce qu'ils ne font jamais une fois qu'ils m'ont donné quelque chose. Je tenais la sébile de ma main droite, celle qui avait été brûlée et, entre temps, il s'était formé une cloque sur le côté de mon index. C'est ce qu'elle a dû remarquer. En tout cas, je l'ai entendue dire à mi-voix : « Oh! comme c'est étrange... », puis ses pas se sont éloignés, elle a rejoint l'homme.

— Mais...

— Attendez donc, je n'ai pas fini. J'ai entrouvert mes yeux pour regarder dans ma sébile... *Et elle avait ajouté un billet d'un dollar au « quarter » qu'elle m'avait déjà donné.* Pourquoi aurait-elle fait ça, si elle ne m'avait pas reconnu, si elle ne s'était pas rappelé ce qu'elle m'avait fait, la veille.

— Oui, bien sûr, bien sûr! coupa Lombard, impatienté. Mais ne m'avez-vous pas dit que vous l'aviez vue? Comment était-elle?

— De face, j'peux pas vous dire, car c'était trop éclairé pour que j'ose ouvrir mes yeux, même derrière les lunettes. Mais, après avoir repéré le billet, je l'ai vue, de dos, qui montait dans un taxi.

— De dos! Enfin... dites-moi toujours comment elle était, vue de dos.

— Oh! mais, vous comprenez, je n'osais pas lever les yeux. Alors je n'ai vu que la couture d'un bas et un talon de chaussure, comme elle montait dans la voiture.

— Un chapeau orange... la couture d'un bas et un talon de chaussure... A ce train-là, il faudra bien vingt ans pour avoir la femme en entier!

Rageusement, Lombard ouvrit la porte, puis il se retourna, l'air menaçant :

— Je suis sûr que vos souvenirs peuvent être plus précis. Mais il faut que ça soit un professionnel qui vous interroge! Devant le théâtre, vous avez dû la voir distinctement... et le lendemain, vous avez probablement entendu l'adresse qu'on donnait au chauffeur du taxi...

— Non!

— En tout cas, restez ici. Ne bougez pas, hein? Je vais aller téléphoner à cet ami dont je vous ai parlé. Je veux qu'il vienne ici, entendre avec moi ce que vous avez à dire.

104

— Mais c'est un flic ?

— Je vous répète que vous n'avez rien à craindre de lui. Il se fiche pas mal des faux mendiants. Mais ne cherchez pas à vous enfuir, car on vous retrouverait vite et, alors, il vous en cuirait ! dit Lombard en claquant la porte derrière lui.

_{*}

A l'autre bout du fil, la voix parut surprise :

— Vous avez déjà du nouveau ?

— Oui, mais pas grand-chose. C'est pourquoi je voudrais que vous veniez, car je crois que vous pourrez tirer davantage de ce type. C'est dans une impasse, entre la 123e Rue et Park Avenue... la dernière maison à gauche, avant la voie du chemin de fer. Venez aussi vite que vous le pourrez. J'ai trouvé un policeman qui faisait sa ronde et je lui ai demandé de surveiller la maison jusqu'à mon retour. Je suis au coin de la rue... Y avait pas de téléphone plus proche. Je vous attendrai en bas... près de la porte.

Quelques minutes plus tard, une voiture de patrouille déposa Burgess à l'entrée de l'impasse et repartit. L'inspecteur rejoignit rapidement Lombard qui attendait devant la maison indiquée, en compagnie d'un policeman. Lombard remercia celui-ci, qui poursuivit sa ronde, et les deux hommes entrèrent dans le couloir obscur.

— C'est tout en haut, dit Lombard. Un faux aveugle, figurez-vous, et qui a vu *deux fois* la dame en question... ce fameux soir et le lendemain.

— Dites donc, il fait noir comme chez le loup par là-haut ! remarqua Burgess comme ils arrivaient au second étage.

— Tiens, oui... C'est drôle... Tout à l'heure, il y avait de la lumière... L'ampoule a dû griller.

— Vous êtes sûr que c'était éclairé, tout à l'heure ?

— Certain ! Je me rappelle que sa chambre était dans

l'obscurité mais, quand il a ouvert la porte, j'ai vu son visage à la clarté du couloir.

— Laissez-moi passer le premier... J'ai une torche électrique.

Et, à l'ultime tournant de l'escalier, la clarté de la torche révéla une masse inerte contre laquelle les deux hommes eussent sans doute trébuché dans l'obscurité. Si les jambes étaient encore à demi étendues sur les dernières marches, le torse reposait sur le petit palier intermédiaire, et la tête, relevée contre le mur, formait avec lui un angle effroyable. Ne tenant plus qu'à une oreille, mais miraculeusement intactes, des lunettes noires.

— C'est lui? demanda Burgess.

— C'est lui, dit Lombard d'une voix creuse.

L'inspecteur se pencha :

— Cou brisé... La mort a été instantanée.

Le rayon de sa torche parcourut l'escalier, jusqu'au palier supérieur.

— Il a dû manquer la première marche et il est allé donner de la tête contre ce mur...

— Juste au moment où je venais de mettre la main dessus! souffla rageusement Lombard. Puis, d'une voix changée : Serait-ce... Vous êtes sûr qu'il s'agit bien d'un accident?

— Aviez-vous croisé quelqu'un en descendant?

— Non, personne. Et ni le policeman ni moi n'avons vu quelqu'un entrer ou sortir.

— Avez-vous entendu un bruit de chute?

— Non, sans quoi nous serions immédiatement entrés voir ce qui se passait. Mais il est passé au moins deux trains pendant que nous vous attendions, et ils faisaient tant de bruit que nous ne nous entendions même plus parler. Ça s'est peut-être produit à un de ces moments-là...

— Oui, et c'est sans doute aussi ce qui a empêché les autres locataires d'entendre quelque chose.

— Oui, mais la lumière ? Est-ce que ça ne fait pas un peu trop de coïncidences ? Je suis sûr que cet étage était encore éclairé quand je suis descendu pour vous téléphoner.

Burgess monta jusqu'au palier et promena le rayon de sa torche. Il découvrit l'ampoule défaillante, qui garnissait une applique fixée au mur :

— Voyez... l'ampoule est toujours là.

— C'est quand même un drôle d'accident... juste au moment où je venais d'obtenir un demi-résultat, dit Lombard en le rejoignant.

— Ce sont des choses qui arrivent. Comprenez donc, au contraire, que pour un coup monté, ça ferait *trop* de coïncidences : le train qui passait, l'ampoule grillée, le type qui se tue contre le mur, alors qu'il avait neuf chances sur dix de s'en tirer avec une grosse bosse. Seul le hasard peut rassembler autant de coïncidences.

— En attendant, le type est mort et ne parlera plus... S'il était resté dans sa chambre...

Tout en parlant, Lombard avait redescendu pesamment les marches et, comme il arrivait sur le petit palier où gisait le cadavre, il se retourna en sursautant :

— Qu'est-ce que c'est ?... Qu'est-il arrivé ?

Burgess pointa l'index vers le mur :

— L'ampoule s'est rallumée quand vous avez fait trembler l'escalier. Il doit y avoir un mauvais contact quelque part... Et cela vous explique qu'elle se soit éteinte au moment de la chute... Allez, Lombard, ne vous découragez pas. Vous pouvez découvrir quelque autre chose, et il est inutile que vous perdiez du temps ici. Je ferai le rapport moi-même.

L'inspecteur demeura près du cadavre et suivit du regard cette silhouette découragée, qui s'enfonçait dans les profondeurs de l'escalier.

XII

LE 10ᵉ JOUR AVANT L'EXÉCUTION

LA DEMOISELLE

Burgess lui avait écrit ça sur un morceau de papier :
Cliff Milburn
Orchestre du Casino, la saison dernière.
Actuellement, Regent Théâtre
Il y avait ajouté deux numéros de téléphone : celui d'un poste de police, jusqu'à une certaine heure, et son numéro personnel, au cas où elle ne pourrait l'appeler que plus tard.

Il lui avait dit :

— Je ne peux pas vous indiquer de marche à suivre. Vous verrez ça au moment. Votre instinct vous guidera mieux que je ne saurais le faire. Une seule recommandation : ne vous affolez pas, gardez votre sang-froid et tout ira bien.

Elle regarda dans la glace la personnalité qu'elle s'était choisie pour cette nouvelle offensive, en souhaitant que ce fût la bonne.

Ses beaux cheveux souples étaient devenus une sorte de casque cuivré, tout en bouclettes. La tranquille élégance de ses vêtements avait également disparu : elle était moulée dans une robe dont la jupe ne pourrait manquer de se relever de façon scandaleuse quand elle s'assiérait. A se voir ainsi accoutrée, elle était horrifiée. Sur chaque joue, un rond rouge, aussi voyant qu'un feu de signalisation, mais signifiant au contraire : *allez-y!* Un gros collier qui cliquetait à son cou. Un mouchoir trop orné de dentelle et imprégné d'un parfum virulent qui lui fit faire la grimace, tandis qu'elle l'enfouissait vivement dans son sac. Et un bleu épais, qu'elle n'aurait jamais songé à employer, alourdissait ses paupières.

Dans un cadre posé sur la coiffeuse, Scott Henderson avait assisté à la transformation :

— Vous ne me reconnaîtriez point, n'est-ce pas, mon amour? murmura-t-elle, contrite. Mais je ne voudrais pas que vous puissiez me voir ainsi. Ne me regardez pas, ne me regardez pas!

Pour compléter la transformation, elle fit glisser le long de sa jambe une jarretière d'un rose agressif, ornée de tulle et d'un nœud de satin, et la plaça juste à la limite de la visibilité... c'est-à-dire de ce qu'on pourrait voir quand elle serait assise.

Elle sortit enfin de sa chambre après avoir murmuré à la photographie :

— Peut-être ce soir, mon amour. Peut-être ce soir!

Toutes les lumières étaient allumées quand elle descendit de taxi, mais il n'y avait encore à peu près personne dans le hall. Elle avait voulu arriver de bonne heure, afin d'avoir le temps de... d'*amorcer*, avant qu'on éteignît dans la salle. Elle ne savait même pas ce que l'on jouait et il y avait de grandes chances pour qu'elle ne le sût pas davantage quand elle ressortirait de la salle. En tout cas, ça s'intitulait *Entrez dans la danse!*

Elle s'approcha du guichet :

— J'ai retenu une place par téléphone... au nom de Mimi Gordon.

Il lui avait fallu attendre deux jours pour avoir le fauteuil qu'elle voulait.

— C'est bien une place en face du batteur, hein ? Comme je vous l'avais demandé ?

— Oui, oui, j'ai vérifié moi-même avant de vous la mettre de côté, dit le caissier en lui décochant le regard appuyé qu'elle avait escompté. Dites donc, c'est un drôle de veinard... Vous devez en pincer rudement pour lui.

— Mais non, vous ne comprenez pas ! Je ne l'ai même jamais vu. Seulement, je raffole de la batterie. Chaque fois qu'il y a un spectacle avec de la musique, je tâche d'être le plus près possible. Je ne peux pas vous expliquer mais les cymbales, les tambours, les baguettes, ça m'a toujours fascinée. Je sais que ça doit paraître idiot, mais... (Elle eut un geste d'impuissance) c'est comme ça.

— Oh ! je ne voulais pas être indiscret, s'excusa le caissier.

Le contrôleur venait de prendre son poste, l'ouvreuse achevait d'épingler son bouquet de fleurs artificielles. A une époque où il est devenu « chic » d'arriver en retard au théâtre, elle était bonne première pour la représentation.

Elle s'assit, comme perdue au bord de cette mer de fauteuils vides. L'extravagance de sa mise était soigneusement masquée de trois côtés par son manteau et ne faisait son plein effet que de face.

Des claquements de sièges se firent de plus en plus fréquents et un bourdonnement de voix emplit le théâtre, mais elle n'avait d'yeux que pour une seule chose : la petite porte qui se trouvait sous le proscenium, à l'opposé de son fauteuil. Enfin, cette porte s'ouvrit et, assez rapidement, les musiciens gagnèrent leurs places dans la fosse. Ils étaient obligés de se courber pour passer la porte et, à chaque tête qui se redressait, elle se demandait : « Est-ce lui ? » Comme elle ne l'avait jamais vu, elle attendait de le voir s'asseoir à la batterie.

Mais la place demeurait inoccupée.

Brusquement, son cœur se serra. Un des musiciens venait de refermer la petite porte. Il n'en arrivait plus; ils étaient tous occupés à feuilleter leurs partitions ou accorder, essayer, leurs instruments. Le chef d'orchestre lui-même était à son pupitre... mais il n'y avait toujours pas de batteur.

Peut-être avait-il été congédié? Non; dans ce cas, on aurait pourvu à son remplacement. Mais il avait pu tomber soudainement malade, être dans l'impossibilité de jouer ce soir-là... justement ce soir-là! Pour elle, le temps pressait, et s'il lui fallait revenir plusieurs soirs de suite à cause de cette indisposition...

Mais, au sein de son angoisse, elle perçut des commentaires faits à mi-voix par les musiciens :

— Tu parles d'un type! Depuis le début de la saison, j'crois bien qu'il a jamais été à l'heure. Et les amendes n'y font rien!

— Il a probablement dû trouver une blonde à son goût, dit le saxo-alto. Elle lui aura fait oublier l'heure dans un coin sombre.

C'était le moment qui précède l'ouverture. On avait éteint dans la salle, les conversations cessaient, les bruits s'apaisaient. Alors qu'elle commençait à désespérer, la porte de la fosse s'ouvrit et se referma si rapidement que cela ne dura pas le temps d'un clin d'œil. Un homme à demi courbé se faufila entre les pupitres, essayant d'échapper à l'attention du chef d'orchestre qui le foudroya cependant du regard. Il n'en fut pas autrement gêné et, quand il s'assit à la batterie, elle l'entendit chuchoter à son voisin :

— Mon vieux, j'ai un rencart drôlement chouette pour après-demain.

Il ne l'avait pas encore aperçue, trop occupé à s'assurer que tout ce dont il avait besoin était à portée de sa main.

La jupe, déjà si courte, remonta encore légèrement sur la cuisse.

— Comment est la salle ce soir? s'informa-t-il en mettant la dernière main à ses rangements.

Il tourna la tête. Elle était fin prête et soutint son regard. Il dut décocher un coup de coude à son voisin, derrière la partie pleine de la balustrade, car elle entendit l'autre musicien dire :

— Oui, je sais. J'ai vu.

Elle fit mine de concentrer son attention sur le programme, mais c'était toujours la même ligne qu'elle relisait :

Victorine............................. *Dixie Lee*

Elle sentait le regard du batteur la détailler.

— C'est drôle, pensa-t-elle, comme une femme sait y faire, même quand elle n'a jamais essayé.

Avant de relever la tête, elle s'obligea à compter jusqu'à trente. Comme cela, il aurait eu tout le temps d'apprécier.

Leurs regards se rencontrèrent et elle ne détourna pas le sien. Il fut un peu surpris de la voir répondre si promptement à son avance. Craignant une méprise, il risqua un demi-sourire sans la quitter des yeux.

Elle ne s'offusqua point et lui retourna même son sourire, en le dosant tout aussi exactement. Le sourire du batteur s'accentua. Le sien également. Les préliminaires étaient terminés : on avait pris contact... Au même instant, le signal lumineux s'alluma trois fois. Le chef d'orchestre appela aussitôt ses musiciens à l'attention, en frappant le pupitre du bout de sa baguette qu'il leva ensuite, pour déclencher l'ouverture.

Elle se consola en pensant que l'orchestre ne jouerait sûrement pas sans arrêt? Et puis il y aurait l'entracte.

Le premier acte s'écoula, ne lui laissant qu'une vague impression de lumières, de musique et de chants. Elle n'était pas là pour voir le spectacle.

A l'entracte, les musiciens quittèrent la fosse pour se dégourdir les jambes et aller fumer une cigarette. Lui s'attarda et se rendit compte qu'elle n'était pas accompagnée, ses voisins l'ayant quittée sans lui adresser la parole.

— Ça vous plaît? se risqua-t-il à demander.

— Oui, c'est vraiment bien.

— Et après... vous allez quelque part?

— Je voudrais bien, fit-elle avec une moue. Mais non.

Il se tourna pour aller rejoindre ses camarades, mais avant de s'éloigner, il lui lança vivement :

— Eh bien, maintenant, vous avez un rendez-vous pour après le spectacle. Ne l'oubliez pas!

Dès qu'il eut disparu, elle tira sur sa jupe. Elle aurait voulu prendre une douche, se savonner longuement, de la tête aux pieds, et même son maquillage ne put cacher le changement qui se produisit en elle. Elle demeura assise à l'extrémité de la rangée de fauteuils vides en pensant : *Peut-être ce soir, mon amour. Peut-être ce soir!*

A la fin de la représentation, elle s'attarda, feignant de chercher quelque chose par terre, d'arranger sa robe, son manteau, tandis que les spectateurs se pressaient vers les sorties et que l'orchestre achevait de jouer son dernier morceau. Il donna un ultime coup de cymbales, puis rangea ses baguettes. Il avait fini pour ce soir-là, il était libre. Il se tourna lentement vers elle :

— Attendez-moi à la sortie des artistes. Je vous rejoins dans cinq minutes.

Rien que cette attente avait quelque chose d'ignominieux et les regards que lui décochaient les autres musiciens en sortant ajoutaient à son malaise. Puis, avant même qu'elle ait eu le temps de se rendre compte que c'était lui qui sortait, il l'avait prise par le bras, d'un geste possesseur, et l'entraînait dans la ruelle :

— Contente?

— Bien sûr!

— On va rejoindre les autres. Sans eux, j'me sens tout refroidi.

Elle comprit qu'il voulait exhiber sa nouvelle conquête.

Ceci se passait à minuit. Deux heures plus tard, elle estima qu'il avait suffisamment bu de bière pour qu'elle pût commencer à l'entreprendre. Ils avaient déjà été dans deux bars semblables. L'usage semblait vouloir qu'ils changent d'établissement en même temps que les autres, mais ils ne se mêlaient cependant pas à eux, s'installant chaque fois à une autre table. De temps en temps, il se levait pour aller parler à ses camarades, mais jamais aucun d'eux ne s'approchait de leur table, sans doute parce qu'elle était avec lui.

Elle ne pouvait pas attendre davantage. La nuit ne se prolongerait pas indéfiniment. Elle saisit l'occasion d'un des compliments qu'il lui débitait de temps à autre, distraitement, comme on met du charbon dans un poêle en ayant l'esprit ailleurs :

— Vous dites que je suis la plus jolie, mais ça ne doit sûrement pas être la première fois que vous voyez une fille qui vous plaît, assise à cette place là. Parlez-moi des autres.

— Avant toi, y en a pas eu qui vaillent la peine d'en parler.

— Oh! j'suis pas jalouse. C'est pour s'amuser. Depuis le temps que vous jouez dans les théâtres, parmi toutes les femmes qui ont été assises derrière vous, quelle est celle avec qui vous auriez aimé sortir?

— Toi, bien sûr!

— Je me doutais que vous répondriez cela. Mais, en dehors de moi? C'est pour voir si vous êtes oublieux. Je parie que, d'un soir sur l'autre, vous ne vous rappelez même plus qui vous avez vu!

— Eh bien, c'est ce qui te trompe! Un soir, y a plusieurs

mois, je me suis retourné et juste derrière moi, y avait une dame... Pas une poule, hein? Une dame...

Sous la table, elle avait noué si étroitement ses mains que les doigts lui faisaient mal.

— C'était pas à ce même théâtre... A ce moment-là, j'étais au Casino. Je ne sais pas ce que cette femme avait, mais...

— Hé! dit un des musiciens en passant près de la table. On va en bas pour une *jam-session*... tu viens?

— Non, fit-elle vivement en tentant de le retenir, restez avec moi. Finissez de me raconter...

Mais il s'était déjà levé :

— Non, non, viens en bas. J'veux pas rater ça!

— Est-ce que vous n'avez pas assez fait de musique toute la soirée?

— Si, mais c'était pour le boulot. Maintenant c'est pour le plaisir. Tu vas entendre ça!

Comme, de toute façon, il était décidé à l'abandonner, elle se résigna à le suivre au sous-sol. Il y avait là une vaste salle, où se trouvaient des instruments de musique — y compris un piano droit, — qu'ils avaient déjà dû utiliser d'autres fois. Du centre du plafond pendait une seule ampoule, grosse mais noirâtre, et, pour renforcer sa clarté, ils avaient planté des bougies dans des bouteilles vides. Au milieu de la pièce, il y avait une vieille table de bois sur laquelle ils avaient déposé des bouteilles de gin — pleines, celles-là —, presque une bouteille par homme. L'un d'eux y étala un morceau de papier d'emballage et déversa dessus une quantité de cigarettes, pour que les autres se servent. Elle comprit que ça n'étaient pas des cigarettes ordinaires. Ils avaient verrouillé la porte et elle ne se sentait pas rassurée, seule femme au milieu de tous ces hommes. De vieilles caisses, deux ou trois tonnelets, tenaient lieu de sièges.

Une clarinette attaqua tristement, et l'hystérie commença. Les deux heures qui suivirent évoquèrent l'enfer de Dante. Elle avait l'impression de vivre un cauchemar, non point à cause de la musique qui était excellente, mais parce que leurs ombres multipliées se projetaient fantastiquement sur les murs et le plafond de la pièce, qu'empestaient le gin et l'odeur des cigarettes de marihuana. Une telle sauvagerie semblait s'emparer d'eux qu'elle reculait parfois dans un coin, d'où certains venaient la déloger, l'assourdissant du bruit de leurs instruments dont ils jouaient jusque sous son nez, la traquant le long des murs, l'emplissant d'une terreur sans nom.

— Allez, danse!

— Je ne peux pas! Je ne sais pas!

Un saxophoniste déchaîné la suivit un moment, puis l'abandonna enfin pour tirer un son déchirant de son instrument en le brandissant vers le plafond. Enfin elle rejoignit le batteur qui, faute d'instrument, s'acharnait sur la chaudière en un rythme fou, et se suspendit à ses bras en hurlant pour qu'il pût l'entendre :

— Cliff, allons-nous-en d'ici! Emmène-moi! Je n'en puis plus! Je vais tomber! Je suis à bout!

A son regard, elle se rendit compte qu'il était déjà sous l'emprise de la marihuana :

— Où on va... chez moi?

Elle comprit qu'il lui fallait dire oui, que c'était le seul moyen de sortir de cet antre.

Il se leva et, en trébuchant un peu, la guida vers la porte qu'il ouvrit. Elle se jeta dans l'escalier, comme une flèche lancée par un arc, et il la suivit sans que les autres s'en soucient le moins du monde.

Ils traversèrent le restaurant obscur et désert. Quand elle se retrouva dehors, sur le trottoir, l'air de la nuit lui parut si frais, si léger, si pur, au sortir de la cave enfiévrée, qu'elle en fut comme étourdie. Elle se laissa aller contre le mur, aspirant goulûment cet élixir, tandis qu'il s'attar-

116

dait à refermer la porte. Il devait être quatre heures du matin maintenant, mais la ville continuait à dormir. Un instant, se rendant compte qu'elle le distancerait aisément, elle éprouva le désir de s'enfuir en courant. Mais elle attendit, passive, pensant à la photographie qui était dans sa chambre.

Il la rejoignit et ils trouvèrent un taxi qui les déposa devant une vieille maison, ancien hôtel particulier, dont chaque étage avait été transformé en un appartement indépendant. Il s'arrêta au premier palier, ouvrit la porte, alluma. Elle eut la vision déprimante d'une pièce haute de plafond, avec un parquet sombre et des embrasures de fenêtres qui faisaient penser à des cercueils. Ce n'était pas un endroit où venir à quatre heures du matin avec quelqu'un, surtout avec lui.

Il tourna la clef dans la serrure, tandis qu'elle ne pouvait s'empêcher de frissonner à l'idée d'être ainsi enfermée avec lui.

— Ote donc ton manteau.

— Non, laissez... j'ai froid.

— Tu ne vas pas rester plantée là, non?

— Non, non, bien sûr... répondit-elle docilement en faisant un pas vers l'intérieur de la pièce, comme un patineur essaye la glace avant de s'y aventurer. Elle regardait désespérément autour d'elle, en quête d'un prétexte pour reprendre la conversation interrompue... S'il y avait quelque chose d'orange...

— Qu'est-ce que tu regardes? grogna-t-il. C'est une chambre, quoi! T'en avais encore jamais vu une?

Elle découvrit enfin le méchant abat-jour de rayonne qui coiffait une lampe portative, à l'autre extrémité de la pièce. Elle s'en approcha, actionna l'interrupteur en disant :

— J'adore cette couleur.

Comme il ne l'avait même pas écoutée, elle insista :

— Vous entendez? C'est ma couleur préférée.

117

— Et alors? fit-il en tournant vers elle son regard brouillé.

— J'aimerais avoir un chapeau de cette couleur.

— Je t'en achèterai un... demain.

— Regardez, comme ça m'ira bien...

Elle prit la lampe, la maintint d'une main sur son épaule et tourna la tête vers lui, de telle sorte qu'elle lui apparut comme coiffée de l'abat-jour orange.

— Hein, c'est beau? N'avez-vous pas déjà vu quelqu'un avec un chapeau de cette couleur? Est-ce que ça ne vous rappelle rien?

Il battit des paupières à plusieurs reprises, gravement, comme un hibou.

— Regardez bien! implora-t-elle. Je suis sûre que vous devez vous rappeler... Au théâtre, derrière vous, n'avez-vous jamais vu une femme assise avec un chapeau de cette couleur?

— Oh! fit-il contre toute attente, oui, les cinq cents dollars...

Puis il s'interrompit brusquement :

— Hé là, je ne devais rien dire... Est-ce que je t'en ai déjà parlé?

— Bien sûr, assura-t-elle.

C'était la réponse à faire. S'il croyait en avoir déjà parlé, il se dirait que, de toute façon, ça ne changerait rien d'en parler encore. Autrement, elle sentait qu'il demeurerait bouche cousue sur ce sujet. Heureusement, la marihuana semblait brouiller sa mémoire.

Rien ne prouvait que ce fût cela, mais il lui fallait s'y cramponner pour s'en assurer.

— Racontez-le-moi encore... Je trouve ça passionnant. Y a pas de mal, puisque je suis votre nouvelle amie... vous l'avez dit vous-même.

— Quoi? fit-il en battant de nouveau des paupières. Qu'est-ce que j'ai dit... J'y suis plus...

Elle dut s'employer à renouer le fil des pensées rompu par la drogue :

— Le chapeau orange... les cinq cents dollars... vous vous rappelez bien ? Elle était assise derrière vous, comme moi.

— Oh! oui, fit-il docilement. Derrière moi. Je l'ai juste regardée et j'ai eu cinq cents dollars... Rien que pour l'avoir regardée et ne pas le dire.

Comme malgré elle, ses bras se mirent en mouvement, se suspendirent au cou du musicien :

— Raconte encore, Cliff, raconte! J'aime tant t'écouter quand tu parles.

— Je ne sais plus ce que je disais...

Le fil était de nouveau rompu.

— Tu avais reçu cinq cents dollars pour ne pas dire que tu l'avais regardée. Tu sais, la dame au chapeau orange? C'était elle qui te les avais donnés? Oh! dis, raconte!

— C'est *une main* qui me les a donnés... dans le noir. Y avait qu'une main, une voix, et un mouchoir... Ah! non, c'était pas tout : y avait aussi un revolver.

Elle lui caressait la nuque, comme si elle pensait pouvoir ainsi l'aider à préciser ses souvenirs.

— Oui, oui... mais la main de qui?

— Je ne sais pas... je ne l'ai jamais su. Y a même des moments où je me demande si ça m'est vraiment arrivé... quand je fume... Mais après, je sais bien que j'ai pas rêvé...

— Raconte, va!

— Ben, un soir que je rentrais du boulot, le vestibule en bas, qui est toujours allumé... On n'y voyait rien, comme si l'ampoule avait grillé. Je prends la rampe pour monter et voilà que je sens une main sur mon bras. Tu parles d'un coup que ça m'a donné. « Qui est là? » je dis. « Qui êtes-vous? » C'était un homme... ça s'entendait à sa voix. Après un moment mes yeux se sont habitués à l'obscurité et j'ai vu quelque chose de blanc comme un mouchoir, là où y aurait dû y avoir un visage...

« Il a commencé par me dire qui j'étais et ce que je faisais... il semblait tout savoir de moi. Puis il m'a demandé si je me souvenais d'avoir vu une certaine dame au Casino, à la soirée de la veille... une dame avec un chapeau orange.

« Je lui ai dit que je l'avais oubliée, mais qu'il venait de me la rappeler. Alors, il a demandé, comme ça, froidement : « T'as envie de mourir ? »

« J'avais même plus la force de parler quand il a pris ma main et l'a posée sur quelque chose de froid : un revolver. Il l'a maintenue là, comme pour me faire bien tâter ce que c'était. « Si tu racontes ça à quelqu'un, je te descends... » Puis il a ajouté, après un instant : « Mais tu préfèreras peut-être recevoir cinq cents dollars ? »

« J'entendis un froissement de billets et il me mit quelque chose dans la main : « Voilà cinq cents dollars... As-tu une allumette ? Bon... tu peux l'allumer... assure-toi que c'est bien un billet de cinq cents dollars. » Et c'en était bien un, il n'avait pas menti. Mais quand j'ai voulu lever les yeux de sur le billet... Fttt ! Il a soufflé l'allumette avec sa main. « Maintenant ,» il m'a dit, « tu n'as pas vu la dame, il n'y avait pas de dame. Si tu continues de répondre ça à quiconque te posera des questions sur ce point, tu continueras à vivre. Compris ? » « Oui, » je dis « j'ai pas vu de dame, y avait pas de dame .» « Parfait. Maintenant, monte te coucher. » Je ne sais pas comment j'ai fait pour lui obéir, tellement je tremblais de tous mes membres... »

Milburn éclata d'un de ses rires discordants qui s'interrompaient aussi brusquement qu'ils commençaient :

— J'ai paumé le fric le lendemain, aux courses.

Puis il remua avec gêne sur son fauteuil :

— T'avais bien besoin de me rappeler ça. J'en ai froid

dans le dos chaque fois que j'y pense. Donne-moi à fumer...
ça me réchauffera.

— Si c'est de la marihuana que tu veux, je n'en ai pas.

— Allons donc! Tu dois en avoir dans ton sac. Tu étais
là-bas avec moi, tu as bien dû en emporter...

Elle avait posé son sac pour lui caresser les cheveux et,
avant qu'elle ait pu l'en empêcher, il s'en était saisi, l'ouvrant et le retournant au-dessus de la table.

— *Non!* cria-t-elle, affolée. Je n'en ai pas! Laisse ça...
ce n'est rien!

Mais il avait déjà lu. C'était le bout de papier remis par
Burgess. Tout d'abord, son visage n'exprima qu'une stupeur incompréhensive :

— Mais c'est moi!... Mon nom... et l'endroit où je travaille...

— Non, non!

— Et y a marqué d'appeler d'abord le poste de police,
puis ensuite...

Elle vit son expression changer. Et ce qu'elle vit grandir
dans son regard, ce fut, plus dangereuse que la colère, la
peur panique, irraisonnée, du drogué :

— Ils t'ont envoyée exprès! Tu ne m'as pas rencontré
par hasard!... Ils vont me tuer... Je ne devais pas... Tu
m'as fait parler... Ils vont me tuer!

Elle ne savait que faire. Elle était lucide et il était momentanément comme fou : il n'y avait plus rien de commun
entre eux, rien qu'elle pût dire pour détourner le cours de
ses pensées. Il répétait :

— Je t'ai dit quelque chose que je n'aurais pas dû te
dire! Oh! si seulement je pouvais me rappeler ce que
c'était...

Hébété, il se passa lentement une main sur le front.

— Mais non! Tu ne m'as rien dit, affirma-t-elle pour
l'apaiser.

Elle se rendait compte qu'il lui fallait partir de là sans

délai, mais surtout ne pas laisser deviner son intention. Elle se mit à reculer de façon presque imperceptible, les mains derrière le dos, prêtes à saisir la clef et à la faire tourner dans la serrure, sans qu'il s'en aperçût. Mais elle continuait à le regarder fixement, à soutenir son regard, pour qu'il ne se rendît pas compte de son recul. C'était comme si elle avait été en face d'un serpent prêt à mordre. Si elle reculait trop vite, ce serait le signal de la détente... Et si elle reculait trop lentement...

— Si! Je t'ai dit quelque chose que j'aurais pas dû. Et maintenant, tu vas aller le répéter à quelqu'un qui va me tuer... Il me l'a dit...

— Mais non, je t'assure! C'est une idée que tu te fais! Tu ne m'as rien dit... Rappelle-toi : j'étais assise sur le bras du fauteuil et je te caressais la tête... c'est tout!

Si seulement elle avait eu une de ces infernales cigarettes à lui jeter en pâture, peut-être...

Dans son recul, elle heurta une petite table et quelque chose tomba par terre. Ce bruit, cette chute, trahirent son recul, et ce fut comme un signal qui déclencha ce qu'elle n'avait cessé d'appréhender.

Il s'avança vers elle, les bras écartés pour la saisir.

Elle s'élança vers la porte en poussant un pauvre petit cri étranglé, mais elle n'eut que le temps de s'assurer que la clef était restée dans la serrure, et il lui fallut fuir plus loin pour ne pas être saisie, s'éloignant à nouveau de l'issue qui pouvait assurer son salut.

S'écartant alors du mur, elle décrivit une oblique à travers la pièce pour se précipiter vers la fenêtre. Mais derrière les doubles rideaux tirés, il y avait un store baissé... Pas le temps d'ouvrir la fenêtre pour appeler au secours! Elle fit voler vers lui un des doubles rideaux dans les plis duquel il s'empêtra un instant. Dans l'angle voisin, un canapé se trouvait en diagonale. Elle passa derrière, mais avant qu'elle eût pu atteindre l'autre extrémité du meuble, il repoussa celui-ci et elle se trouva comme prise au piège. Deux fois, ils longèrent le canapé, chacun d'un côté. Cela rappelait le jeu du chat avec la souris ou quelque mélodrame risible mais qui, s'il lui était donné d'en revoir un, ne la ferait plus jamais rire.

— Non! haletait-elle. Non! Ne me touchez pas...

Brusquement, il posa un genou sur le canapé et tenta de la saisir par-dessus le dossier. Dans le minuscule triangle où elle était enfermée, il n'y avait pas place pour reculer. Les doigts de Milburn agrippèrent le décolleté de sa robe, mais avant qu'il ait pu l'attirer à lui, elle se libéra en tournant deux fois sur elle-même puis, tandis que, perdant l'équilibre, il chancelait sur le dossier du meuble, elle se jeta vers l'extrémité opposée à la fenêtre et parvint à sortir de derrière le canapé.

De nouveau, elle s'efforçait d'atteindre la porte et elle jeta une chaise en direction de son poursuivant, dans l'espoir de le faire tomber, mais il sut l'éviter et elle n'y gagna que quelques secondes d'avance.

Comme, longeant le mur, elle allait arriver à la porte, il s'élança à travers la pièce et lui barra le chemin. Ils se heurtèrent presque et il voulut la saisir; alors, elle fit la seule chose qui lui fût encore possible et se baissa en hurlant un nom, le nom de celui qui ne pouvait venir à son secours : « Scott! Scott! »

Elle parvint ainsi à passer sous les bras tendus pour la saisir. Elle vit la petite lampe à l'abat-jour orange et s'en saisit. Elle était trop légère pour pouvoir constituer une arme et, lancée par une main mal assurée, elle manqua largement son but, sans même que son ampoule éclatât. Cette fois, c'était la fin...

Et puis quelque chose se produisit dont elle n'eut pas clairement conscience sur l'instant, mais qu'elle se rappela plus tard. Comme il s'élançait vers elle, son pied dut se prendre dans le fil; la lampe bondit sur le parquet, un éclair bleuté jaillit au bas du mur, et Milburn s'étala de tout son long.

Pour atteindre la porte, elle dut sauter par-dessus ses mains, momentanément plaquées au sol, mais prêtes à l'attraper...

La clef... Elle la tourna d'abord du mauvais côté, comme dans un cauchemar... Lui rampait sur le sol, cherchant à lui saisir les chevilles sans se relever...

Le déclic... Elle tira de toutes ses forces sur la porte et se jeta dans son ouverture. Des ongles griffèrent le talon d'une de ses chaussures tandis qu'elle bondissait hors de la chambre.

Du reste, elle n'eut pour ainsi dire pas conscience, car tout son esprit était obnubilé par la crainte d'une poursuite qui n'eut pas lieu. Elle dévala l'escalier sans rien voir, comme portée par la seule force de sa panique. Une porte surgit en face d'elle; elle l'ouvrit et sortit dans l'air frais de la nuit, titubante comme une femme ivre. L'instinct lui fit tourner l'angle d'une rue et elle aperçut alors une lumière qui l'incita à courir de plus belle, pour tenter d'arriver là avant d'être rejointe.

Elle se retrouva devant un comptoir chargé de salami, de salade de pommes de terre, de sandwiches, et de tasses... dans une de ces charcuteries qui restent ouvertes toute la nuit.

Le patron, un vieil homme qui somnolait sur sa chaise, fixa sur elle un regard ahuri, vit le décolleté déchiré, et se leva d'un bond.

— Qu'y a-t-il, mademoiselle? Vous avez eu un accident? Est-ce que je peux...

— Donnez-moi un jeton! dit-elle dans un sanglot. Un jeton... pour le téléphone!

Elle entra dans la cabine, comme un automate, tandis que le charcutier appelait :

— M'man, viens! Y a une petite qui a des ennuis!

Comme il était près de cinq heures du matin, elle appela Burgess à son domicile et ne pensa même pas à se nommer, mais il dut comprendre que c'était elle :

— Burgess, voulez-vous venir me rejoindre ! Je viens de passer un moment terrible, et je n'aurai pas la force de continuer ainsi...

Burgess arriva seul, le col de son pardessus relevé, et la trouva installée devant une grande tasse de café brûlant, préparée par la charcutière, surgie en peignoir et papillotes. Il était venu seul parce qu'il agissait à titre officieux, personnel.

En le voyant, elle eut un petit cri de soulagement et lui tendit les bras. Il se laissa tomber sur la chaise voisine, lui pétrissant la main :

— Mon pauvre petit ! Ç'a donc été si terrible ?

— Oh ! maintenant, ça va... mais si vous m'aviez vue il y a seulement dix minutes !

Puis, achevant de se ressaisir, elle se pencha vers l'inspecteur :

— Burgess, ça valait le coup ! *Il l'a vue !* Et non seulement cela, mais quelqu'un est venu ensuite le trouver... un homme, sans doute envoyé par elle, qui l'a payé pour se taire. Oh ! vous arriverez sûrement à lui faire répéter tout cela, dites ?

— Venez ! fit-il en se levant. Je vais y aller tout de suite, mais je veux d'abord vous mettre dans un taxi et...

— Non, non, j'y retourne avec vous. Maintenant, je n'ai plus peur.

Burgess l'avait précédée dans l'escalier, sans bruit, en lui faisant signe de prendre son temps. Quand elle le rejoignit, il avait l'oreille collée à la porte.

— Je n'entends rien, murmura-t-il. Probablement endormi... L'effet de la drogue... Mais tenez-vous cependant à l'écart, au cas où il ferait du vilain.

Elle redescendit quelques marches et eut ainsi les épaules

au niveau du palier. Elle vit Burgess introduire quelque chose dans la serrure et ouvrir la porte sans bruit, de la main gauche, tandis que la droite demeurait à hauteur de sa hanche.

Retenant son souffle, elle gravit une marche après l'autre et, comme elle arrivait à son tour devant la porte ouverte, le brusque jaillissement de la lumière la fit sursauter.

Elle aperçut Burgess qui disparaissait par une porte plus ou moins dissimulée dans un des murs de côté et qu'elle avait précédemment cru être celle d'un placard. Comme elle s'aventurait dans la chambre, Burgess actionna un autre commutateur dans la pièce voisine et elle vit luire les blancheurs d'une salle de bains, puis son regard se riva sur un corps plié en deux au bord de la baignoire, comme une épingle à linge. Ça n'était certainement pas le cas dans une maison pareille, mais la baignoire donnait l'impression d'être en marbre. Du marbre blanc veiné de rouge...

Elle pensa tout d'abord qu'il s'était évanoui et que son buste avait basculé à l'intérieur de la baignoire, mais comme elle faisait un pas de plus dans cette direction, Burgess lui dit vivement :

— N'entrez pas, Carol ! Restez où vous êtes !

Et, sans la refermer complètement, il tira cependant la porte pour empêcher la jeune fille de voir dans l'autre pièce.

Il demeura un long moment dans la salle de bains et elle comprit que Milburn ne devait pas être simplement évanoui... Ses mains se mirent à trembler, mais ça n'était plus de peur. Sur la table, il y avait un morceau de papier où une écriture zigzaguante avait tracé des mots presque indéchiffrables : « ... *sont après moi.* » Le crayon avait roulé au bord de la table, contre un cendrier.

La porte de communication s'ouvrit lentement et Burgess reparut enfin. Il était encore plus pâle que précédemment, et il lui fit signe de ressortir.

— Avez-vous vu ça ? demanda-t-elle en montrant le papier sur la table.

— Oui, quand je suis entré.

— Est-il...?

L'index de Burgess décrivit un demi-cercle sous son menton, d'une oreille à l'autre, et elle en eut le souffle coupé.

— Venez, allons-nous-en d'ici! dit-il avec une brusquerie bien intentionnée. Ce n'est pas un endroit pour vous.

Il referma la porte de l'appartement en murmurant :

— Cette baignoire... Jamais plus je ne pourrai penser à la Mer Rouge sans...

Il s'interrompit en se rendant compte qu'elle l'écoutait et n'ajouta plus un mot. Au coin de la rue, il l'installa dans un taxi :

— Rentrez chez vous, lui dit-il. Je vais m'occuper de signaler ça.

Contenant avec peine ses larmes, elle demanda :

— Est-ce que... est-ce que je ne pourrais pas répéter ce qu'il m'a raconté ?

— Ça ne serait qu'un on-dit, Carol. Vous avez *entendu* quelqu'un dire qu'il avait vu cette femme et qu'on l'avait payé pour prétendre le contraire. Ça n'aurait aucune valeur comme témoignage.

Burgess sortit un mouchoir de sa poche, le déplia soigneusement, l'étalant sur sa paume pour qu'elle pût voir ce qu'il contenait :

— Savez-vous ce que c'est que ça ? demanda-t-il.

— Une... une lame de rasoir.

— Oui. Je l'ai trouvée à demi-cachée sous le papier d'une étagère. Or il s'est ouvert la gorge avec un rasoir ancien modèle, un rasoir droit. Un homme, pour se raser, se sert d'un rasoir droit ou d'un rasoir de sûreté, mais pas des deux, expliqua-t-il en repliant son mouchoir. Ils concluront au suicide... et je les laisserai dire... du moins, pour l'instant. Vous, Carol, rentrez chez vous. Quoi qu'il arrive, vous n'étiez pas ici cette nuit. J'y veillerai !

Dans le taxi qui l'emportait le long des rues qu'argentait l'aube naissante, elle courba tristement la tête.

Pas ce soir, mon amour, pas ce soir. Mais demain, peut-être... Ou après-demain... Oh ! ne désespère pas, mon amour !

XIII

LE 9ᵉ JOUR AVANT L'EXÉCUTION

LOMBARD

C'était un de ces hôtels incroyablement luxueux, dont la tour dominait de haut les immeubles voisins, tel un nez aristocratique dédaigneusement levé. C'était un perchoir doré où se posaient les oiseaux du paradis d'Hollywood, lorsqu'ils prenaient leur vol vers l'est.

Il se rendit compte que pour être admis dans un endroit pareil, il fallait agir avec tact, bien calculer son coup, et ne pas commettre d'impair. Inutile de chercher à se faire recevoir en demandant simplement à être reçu. Il fallait agir avec diplomatie, préparer le terrain.

A droite, en entrant dans le hall, il y avait une boutique de fleuriste et ce fut vers elle qu'il dirigea d'abord ses pas.

— Vous devez livrer beaucoup de fleurs à Miss Mendoza. Quelles sont ses préférées?

— Je ne saurais dire, répondit le fleuriste, d'un air réservé.

Lombard sortit un billet de sa poche et répéta simplement sa question, comme s'il n'avait pas suffisamment élevé la voix la première fois. C'était apparemment le cas, car le fleuriste devint soudain loquace :

— On lui envoie toujours des orchidées ou des gardénias parce que, ici, ça fait bien. Mais je sais que dans son pays, en Amérique du Sud, ces fleurs-là sont peu appréciées, car on en trouve même à l'état sauvage. Elle, quand elle commande personnellement des fleurs, ce sont *toujours* des pois de senteur roses.

— Donnez-moi tous ceux que vous avez, dit aussitôt Lombard. Qu'il ne vous en reste pas un seul! J'aurai également besoin d'une carte.

Sur cette dernière, à l'aide d'un petit dictionnaire de poche, il rédigea un bref message en espagnol ou qui, du moins, pouvait être compris d'une Espagnole.

— Mettez ceci avec les fleurs. Dans combien de temps peut-elle les avoir?

— Dans moins de cinq minutes. Elle a un appartement dans la tour, et un groom va les lui monter immédiatement.

Lombard retourna dans le hall et se mit à regarder sa montre, comme lorsqu'on compte les pulsations de quelqu'un. Après un moment, il s'approcha du comptoir de la réception et dit au préposé :

— Voulez-vous téléphoner chez Miss Mendoza et lui faire demander si le monsieur qui vient de lui envoyer des fleurs peut monter la voir. Mon nom est Lombard, mais n'oubliez surtout pas de mentionner les fleurs.

Quand l'employé raccrocha le téléphone, il avait l'air extrêmement surpris :

— Elle a dit que oui.

C'était apparemment la première fois que quelqu'un était admis du premier coup auprès de la vedette.

Après une ascension ultra-rapide qui le laissa les genoux un peu flageolants, Lombard fut accueilli par une caménriste en grande tenue.

— Mr. Lombard? s'informa-t-elle.

— Oui.

— Vous ne venez pas pour une interview?

— Non.

— Ni pour un autographe?

— Non.

— Pas davantage pour une attestation?

— Non.

— Serait-ce pour une facture... euh... que la señorita aurait oubliée?

— Non.

Ayant apparemment satisfait à l'examen d'entrée, Lombard s'entendit alors dire :

— Veuillez attendre un instant, Mr. Lombard. La señorita va tâcher de vous recevoir dès qu'elle aura fini de dicter son courrier, et avant de se faire coiffer. Prenez la peine de vous asseoir...

Il se trouvait dans une pièce absolument remarquable, non point à cause de ses dimensions, de son luxe ou de la vue magnifique qu'on avait de ses immenses fenêtres. Tout cela n'avait rien d'inattendu dans un hôtel de ce genre. Mais la pièce était remarquable, à cause du vacarme qui l'emplissait, bien que Lombard s'y trouvât seul et tranquillement assis. D'une porte, parvenait un bruit de friture — accompagné d'une odeur épicée — auquel se mêlaient les accents d'un baryton vigoureux, mais plutôt faux. A l'opposé, se trouvait une double porte laissant sourdre un mélange sonore au sein duquel Lombard crut pouvoir distinguer un air de samba, vraisemblablement diffusé sur ondes courtes avec un grand accompagnement de parasites, une voix féminine dictant de l'espagnol, à une cadence de mitraillette et sans même reprendre souffle entre les phrases, un téléphone qui ne semblait pas pouvoir rester plus de deux à trois minutes sans sonner, avec, de temps à autre, un cri grinçant comme un morceau de craie sur une ardoise.

Lombard attendait patiemment. Il avait été admis dans l'appartement, ce qui était déjà un résultat. Pour parachever son entreprise, il était prêt à mettre le temps qu'il faudrait.

La caமériste reparut et Lombard se leva à demi, croyant qu'elle venait le chercher. Mais, à en juger par sa hâte, elle devait être chargée d'une mission beaucoup plus importante, et disparut du côté de la friture barytonnante, en criant :

— Pas trop d'huile, Enrico ! Elle a dit : « Surtout, pas trop d'huile ! »

Elle repartit précipitamment dans la direction d'où elle était venue, accompagnée par un concert de vociférations qui s'interrompirent brusquement pour faire place à un « Ah ! » satisfait. Un moment plus tard, un petit homme basané, en veste blanche, coiffé d'une haute toque de cuisinier, apparut dans le hall et marcha vers la double porte, chargé d'un plat surmonté d'un dôme argenté.

Après cela, il y eut une accalmie. Mais elle fut brève et suivie d'un vacarme auprès duquel le tumulte précédent sembla paisible silence car il s'y ajouta un duo vociférant soprano-baryton, les cris grinçants retentissant presque sans discontinuer, et la vibration d'un gong qui devait être un plat d'argent violemment jeté contre un mur.

Le petit homme ressortit en coup de vent, sa veste blanche couverte de jaune d'œuf et de piments rouges :

— Cette fois, je repars ! Elle pourra me supplier à genoux ! Je prends le premier bateau !

Un calme relatif s'établit alors, qui aurait paru bruyant à quiconque ne venait pas d'endurer ce vacarme insensé. Puis ce fut la sonnerie de la porte d'entrée qui retentit, pour changer de celle du téléphone. La caமériste introduisit un homme brun, soigneusement coiffé et dont la moustache semblait peinte d'un coup de pinceau. Il s'assit et partagea dès lors l'attente de Lombard, mais avec beaucoup moins de patience, car il se releva peu après pour faire les cent pas. Remarquant une partie des pois de senteur de Lombard qui avaient été disposés là, il en prit un et le renifla. Arrêtant au vol la cameriste, il lui demanda :

— Va-t-elle être bientôt prête à me recevoir ? J'ai une nouvelle idée de coiffure mais j'ai peur de la perdre, si j'attends trop.

La cameriste eut un geste d'impuissance et disparut.

Néanmoins, elle revint peu après chercher le coiffeur et dit à Lombard :

— Elle ne peut pas faire autrement, mais elle vous recevra après lui et avant son essayeuse.

Un moment plus tard, le chef reparut, non plus en tenue de travail, mais en pardessus, béret et cache-col. Cependant, quand il interpella la cameriste, ce fut pour lui dire :

— Demande-lui si elle dîne ici ce soir. Moi, je ne peux pas le faire : je ne lui parle plus.

Enfin, le coiffeur ressortit et s'en fut, en chipant au passage un autre pois de senteur. La cameriste surgit alors au seuil du saint des saints pour annoncer :

— La señorita va vous recevoir.

Quand il se leva, Lombard se rendit compte qu'il avait des fourmis dans les jambes. Il frappa plusieurs fois du pied pour se désengourdir, remonta sa cravate, tira ses manchettes, et passa de l'autre côté de la double porte.

Il avait à peine eut le temps d'entrevoir une femme à demi étendue sur une chaise longue, dans une attitude très Récamier, quand une sorte de projectile poilu vint atterrir sur son épaule, accompagné d'un de ces cris grinçants qu'il avait précédemment perçus, et quelque chose ressemblant à un serpent velouté s'enroula affectueusement autour de son cou.

Le visage de la femme sur la chaise longue s'épanouit, comme celui d'une mère admirant son rejeton :

— N'ayez pas peur, señor. Ce n'est que le petit Bibi.

Ce surnom d'amitié ne suffisait pas à rassurer Lombard qui aurait bien voulu pouvoir tourner la tête pour identifier son possesseur. Il réussit néanmoins à sourire, comprenant que cela servirait sa cause.

— Je me fie entièrement à Bibi, lui confia la dame. Si quelqu'un ne lui plaît pas, il se cache sous le sofa et je congédie immédiatement la personne. Si quelqu'un plaît à Bibi, il lui saute sur l'épaule et je dis alors « Restez ». Vous il vous aime. Viens, Bibi, descends! ajouta-t-elle sans grande chaleur.

— Non, non, laissez-le donc, je vous en prie. Il ne me dérange pas le moins du monde! assura Lombard, voyant de quel côté soufflait le vent.

Il avait fini par comprendre — à l'odeur, en dépit de l'eau de Cologne saturant l'animal — que Bibi était un singe, lequel avait dû se prendre pour lui d'une grande passion, car il lui écartait maintenant soigneusement les cheveux, en quête de quelque chose.

— Asseyez-vous, cher! dit alors l'actrice, en roulant encore plus les « r » pour exprimer le contentement que lui inspirait ce tableau idyllique.

Lombard s'assit avec son fardeau et put alors examiner la dame avec plus d'attention. Elle était vêtue d'un négligé de marabout rose recouvrant un pyjama de soie noire dont chaque jambe avait l'ampleur d'une jupe. Elle avait sur la tête une sorte de casque laqué qui devait être l'œuvre du voleur de pois de senteur. Subrepticement Lombard la vit consulter la carte qu'il avait jointe à son envoi.

— Comme c'est aimable de m'envoyer des fleurs en espagnol, Señor Lombard. Ici, j'en ai perdu l'habitude. Vous arrivez de *mi tierra ?* Nous nous étions rencontrés là-bas ?

Fort heureusement, elle ne s'attarda pas sur ce point — ce qui évita à Lombard une réponse embarrassante — et levant les yeux au plafond, elle soupira :

— Ah! mon Buenos Aires, mon Buenos Aires! Comme il me manque! Calle Florrridar avec ses lumières dans la nuit...

Il n'avait pas passé pour rien plusieurs heures à étudier des dépliants touristiques, aussi enchaîna-t-il doucement :

— Et la plage, à La Plata... les courses à Palermo Park...

— Non, non! dit-elle avec une crispation de tout le visage. Vous allez me faire pleurer!

Il se rendit compte qu'elle ne jouait pas la comédie. Elle dramatisait simplement des sentiments toujours latents en elle :

— Pourquoi ai-je quitté tout cela? *Pourrrquoi* suis-je partie si loin?

Il pensa que mille dollars par représentation y étaient peut-être pour quelque chose, mais s'abstint sagement de le dire.

Bibi n'ayant rien trouvé d'intéressant dans ses cheveux, descendit le long de son bras et s'éloigna à travers la pièce, ce qui facilita la conversation. Toutefois, Lombard n'osa pas se recoiffer, par crainte d'offenser la maîtresse du « trésor », et il décida de profiter, sans plus tarder, des résultats de sa diplomatie :

— Je suis venu vous trouver, parce que je vous sais aussi intelligente que belle.

— C'est vrai, personne n'a jamais dit que j'étais « une « poupée », admit la vedette, avec une rafraîchissante ingénuité, en examinant ses ongles.

Il rapprocha légèrement sa chaise :

— Vous vous souvenez du numéro que vous faisiez, la saison dernière, et au cours duquel vous jetiez de petits bouquets aux spectatrices de l'orchestre?

— Ah! *Chica Chica Boom! Si, si!* Vous avez aimé? C'était bon, hein? s'exclama-t-elle avec chaleur.

— Parfait! affirma-t-il. Figurez-vous qu'à cette époque, un de mes amis...

Mais il ne put aller plus loin, car la camériste entra :

— William voudrait ses ordres pour la journée, Señorita.

— Excusez-moi un instant... dit la vedette qui se tourna

vers la porte où se tenait un individu à la robuste carrure, mis en valeur par un uniforme de chauffeur : Je n'aurai pas besoin de vous avant midi. Soyez en bas à moins dix, pour me conduire au *Coq bleu.*

Puis elle ajouta sans changer de ton :

— Et tant que vous êtes ici, emportez donc ceci que vous avez oublié.

Le chauffeur s'approcha de la coiffeuse, y prit un porte-cigarette en argent qu'il empocha avant de regagner la porte avec une nonchalante souplesse.

— Ça ne vient pas du Prisunic, vous savez! lui lança-t-elle comme il quittait la pièce.

Au regard de la vedette, Lombard jugea que William ne ferait pas de vieux os dans la maison, puis il enchaîna :

— Comme je vous le disais, un de mes amis, la saison dernière, alla vous applaudir en compagnie d'une femme. Et c'est pour cela que je suis venu vous voir.

— Ah?

— Oui, je m'efforce de lui retrouver cette femme.

Elle se méprit et, les yeux brillants, roucoula :

— Ah! l'amourrr, l'amourrr. J'adore les histoires d'amourrr!

— Hélas, non, ça n'est pas une histoire d'amour, mais une question de vie ou de mort, dit Lombard, n'osant pas donner trop de détails par crainte d'effaroucher la dame.

Cela parut lui plaire encore davantage :

— Ah! un mys-tèrre! J'adorrre les mys-tèrrres!

Mais soudain son regard se riva sur sa minuscule montre, posée comme une grosse goutte de rosée sur son poignet, et elle poussa une série de cris perçants qui firent accourir la femme de chambre :

— Vous savez l'heure qu'il est? lui lança la vedette d'un ton accusateur. Un peu plus, et c'était trop tard! Le docteur a bien recommandé : un chaque heure! Allez chercher le calomel...

136

L'instant d'après, Lombard eut l'impression de se trouver au centre d'un carrousel, car la cameriste donna la chasse à Bibi pour lui administrer son médicament. Ensuite, le patient, tout marri, se réfugia sur sa maîtresse, s'accrochant affectueusement à son cou. Lombard estima alors qu'il pouvait revenir à son sujet :

— Je me rends compte, dit-il, qu'il serait vain de vous demander de vous rappeler quelqu'un, alors que vous voyez défiler chaque jour des milliers de visages devant vous. Mais la dame en question s'est levée, au premier rang de l'orchestre, alors que vous repreniez le refrain de votre chanson pour la deuxième ou troisième fois...

Elle ferma à demi les paupières :

— Elle s'est levée ? Pendant que Mendoza était en scène ? Voilà qui m'intéresse beaucoup ! Elle avait un train à prendre, peut-être ? Ou n'appréciait-elle pas ce que je chantais ?

— Non, non, ce n'est pas ça du tout ! se hâta-t-il de la rassurer. Seulement, cela se passait pendant que vous chantiez *Chica Chica Boom* et vous aviez oublié de lui jeter un de vos petits bouquets. Alors, elle s'était levée pour attirer votre attention. C'est pourquoi nous espérions...

Elle ferma les yeux, portant une main à son front, puis alluma une cigarette bien qu'elle n'eût visiblement pas l'habitude de fumer, mais finit par secouer la tête :

— Non, je suis désolée... J'essaye de me rappeler, mais je n'y arrive pas... Pour moi, la dernière saison, ça me paraît remonter à vingt ans.

Lombard s'apprêtait à rempocher le morceau de papier où il avait noté les renseignements donnés par son ami, quand il y jeta tristement un dernier regard :

— Oh ! oui... il y a un autre détail... mais je ne pense pas que ça puisse vous aider davantage. Mon ami m'a dit que cette femme avait le même chapeau que vous, une copie...

Elle se redressa brusquement comme si ce dernier détail lui rappelait enfin quelque chose. De nouveau, elle ferma à demi les paupières en fronçant les sourcils. Lombard n'osait même plus respirer et Bibi lui-même regardait sa maîtresse avec une curiosité attentive.

Soudain, la lumière jaillit. Mendoza écrasa sa cigarette d'un geste vif en émettant un cri strident :

— A-a-ah! *Maintenant*, je me rappelle! Cette... cette *chose* qui s'est dressée! Cette *criatura* qui a osé se lever devant toute la salle, pour montrer qu'elle portait *mon* chapeau! En plein dans le rayon d'un projecteur! Ah! je vous crois que je m'en souviens! Si vous pensez que je pourrais oublier ça, vous ne connaissez pas Mendoza!

La cámériste choisit ce mauvais moment pour faire une nouvelle entrée :

— L'habilleuse attend depuis un quart d'heure, señorita.

— Qu'elle continue! Disparrraissez! hurla la vedette qui dit ensuite en se tournant de nouveau vers Lombard et se frappant la poitrine : Vous voyez dans quel état ça me met encore!

Elle se leva et se mit à arpenter la pièce en gesticulant. Bibi se réfugia dans un coin, se protégeant la tête avec ses bras, terrifié.

— Et pourquoi recherchez-vous cette femme, votre ami et vous? demanda-t-elle soudain. Vous ne me l'avez pas encore dit!

Lombard se rendit compte que si Mendoza pensait que sa rivale profiterait en quelque façon de ces réminiscences, elle ne ferait rien pour l'aider. Aussi entreprit-il de lui présenter les faits d'une façon susceptible de satisfaire son désir de vengeance :

— Mon ami se trouve dans une situation extrêmement grave, señorita. Je ne veux pas vous ennuyer en entrant dans les détails, mais cette femme est la seule qui soit susceptible de l'aider à se tirer de là. Il veut prouver qu'il se trouvait

avec elle, ce soir-là, et non point où l'on prétend qu'il était.
Seulement, il venait juste de la rencontrer. Nous ignorons
son nom, son adresse, nous ne savons absolument rien
d'elle. C'est pourquoi nous remuons ciel et terre...

Elle demeura un moment pensive, puis dit :

— J'aimerais vous aider. Je voudrais bien pouvoir vous
dire qui elle est, mais (elle eut un geste des deux mains)
je ne l'avais jamais vue avant ce soir-là et je ne l'ai jamais
revue depuis.

— Aviez-vous remarqué l'homme qui l'accompagnait ?

— Non, je ne saurais même pas dire si elle était accompagnée.

— C'est terrible! dit Lombard. Jusqu'à présent, la plupart des gens que nous avons interrogés se souvenaient de
lui, mais pas d'elle. Vous, c'est le contraire, mais ça ne
nous avance pas davantage, car ça ne prouve rien, sinon
qu'une femme s'est levée, un soir, au premier rang de
l'orchestre. N'importe quelle femme, et qui pouvait même
être seule. Ce qu'il me faut, c'est un témoin qui les ait vus
tous les deux ensemble. Merci quand même de m'avoir
consacré un moment, conclut-il en se levant.

— Je continuerai à y réfléchir... Je ne vois pas ce que
je pourrais vous apprendre de plus, mais je vais y penser
quand même...

Ils se serrèrent la main et Lombard regagna l'ascenseur.
Il se sentait d'autant plus abattu que jamais encore il n'avait
été aussi près d'obtenir un résultat. Mais, finalement, il se
retrouvait Gros-Jean comme devant.

Il traversa le hall de l'hôtel, gagna la rue. Sur le perron,
il demeura un moment indécis, ne sachant plus que faire.

Un taxi arrivait, mais il était déjà occupé. Lombard dut
attendre qu'un autre se présentât et, parfois, un détail
aussi banal que celui-là peut prendre une extrême importance. Il n'avait pas laissé d'adresse à Mendoza et elle
n'aurait pas su où le joindre mais, au moment où il prenait

enfin place dans un taxi, un groom jaillit de la porte à tambour et se précipita vers lui :

— Dites, monsieur, c'est pas vous qui étiez chez Miss Mendoza, il y a un instant? Elle vient de téléphoner et elle aimerait que vous remontiez la voir, si ça ne vous ennuie pas...?

Bibi l'accueillit avec le même enthousiasme que précédemment; mais sa maîtresse, ayant retiré son pyjama, était maintenant en train d'essayer quelque chose qui lui donnait un peu l'aspect d'un abat-jour inachevé. Elle ne se troubla pas pour autant :

— J'espère que vous êtes marié? Et puis, si vous ne l'êtes pas, vous le serez un jour, alors ça revient au même.

Elle rabattit cependant un pan de l'étoffe sur une épaule, ce qui lui fit un semblant de corsage, puis congédia une femme qui était agenouillée près d'elle, les lèvres serrées sur des épingles.

— Quand vous m'avez quittée, j'étais encore furieuse...

— A cause de William, pensa machinalement Lombard.

— ... alors, comme toujours, pour me calmer les nerfs, j'ai cassé quelque chose, continua-t-elle en montrant des débris de cristal qui jonchaient le sol, autour d'une poire de vaporisateur. Et figurez-vous que cela m'a brusquement rappelé une autre fois où j'ai été en colère, à cause de cette femme dont nous parlions... Ce soir-là, quand j'ai regagné ma loge (elle eut un geste qui balayait) j'ai tout envoyé valser! Je suis sûre que vous me comprenez?

— Oh! certes.

Elle se frappa de nouveau la poitrine :

— Jamais on ne m'avait fait une chose pareille, à moi, Mendoza! Si le régisseur et mon habilleuse ne m'avaient pas retenue, je serais allée l'attendre à la sortie, pour la mettre en pièces! Et le lendemain j'étais encore furieuse car, chez moi, ça dure! continua-t-elle avec une fierté inattendue. Aussi je suis allée voir la modiste qui m'avait fait ce chapeau et c'est sur elle que j'ai passé ma rage. Devant toutes ses clientes, je lui ai dit : « Ah! c'est ainsi que vous m'avez vendu un modèle? Une *création*... une pièce *unique* ? Personne d'autre n'en a un pareil, hein? » Et je le lui ai jeté à la figure! conclut-elle avec un geste royal. Alors, ça va vous aider, je pense? Cette espèce de modiste, elle doit savoir à qui elle avait vendu l'autre chapeau. Vous n'avez qu'à aller la trouver pour apprendre le nom de cette femme.

— Magnifique! s'exclama-t-il avec un tel enthousiasme que Bibi plongea sous un fauteuil et ramena sa queue d'une main prudente. Comment s'appelle-t-elle?

— Là, vous avez de la chance. Son nom, je l'aurais oublié depuis le temps, tellement j'ai de fournisseurs. Mais elle a eu le toupet de continuer à m'envoyer chaque fois une facture pour ce fameux chapeau. Cent dollars, vous vous rendez compte? Elle s'appelle *Kettisha*... Tenez, copiez son adresse, dit Mendoza en tendant à Lombard une facture où ce nom se détachait en lettres moulées.

A peine avait-il achevé de noter l'adresse, que la facture fut réduite en mille morceaux, immédiatement dispersés à travers la pièce.

— Non, vraiment, ça dépasse tout! Continuer à m'envoyer sa facture!

Et comme Lombard prenait hâtivement congé, elle l'accompagna jusqu'au seuil de la pièce en disant :

— J'espère que vous la retrouverez, cette femme! Et que vous lui ferez des tas, *des tas* d'ennuis!

Car s'il est une chose qu'une femme ne peut pardonner à une autre femme, c'est bien de porter le même chapeau qu'elle.

**

C'était un ancien hôtel particulier qui abritait l'industrie de Kettisha et Lombard y arriva au moment où l'on passait la collection. Il se sentit horriblement embarrassé d'être le seul homme parmi tant de femmes, d'autant plus qu'il se trouva placé à l'endroit où les mannequins faisaient demi-tour, et chacun d'eux s'arrêtait un instant devant lui. De plus en plus gêné, il avait envie de dire : « Non, merci. Je ne suis pas venu pour acheter. »

Enfin, une jeune femme, à laquelle il s'était adressé en arrivant pour lui exposer le but de sa visite, vint l'informer que Mme Kettisha le recevrait dans son bureau, au premier étage.

Mme Kettisha était une rousse d'un certain âge qu'il découvrit assise derrière un immense bureau. Jamais, à la voir, on n'aurait imaginé qu'elle pût être une modiste en vogue. D'un autre côté, seul le grand succès pouvait lui permettre de se soucier aussi peu de son apparence. Elle était occupée à examiner rapidement des dessins coloriés, mettant les uns à droite, les autres à gauche.

— Eh bien, que me voulez-vous ? demanda-t-elle sans lever les yeux.

— Je suis venu ici envoyé par une de vos anciennes clientes. Mendoza, la vedette sud-américaine. Vous lui aviez fait un chapeau pour son numéro, la saison dernière, et je voudrais savoir qui en avait acheté la copie.

D'un geste prompt, la modiste rangea les modèles acceptés dans un tiroir et envoya les autres dans la corbeille à papiers, puis sa main droite s'abattit avec fracas sur le dessus du bureau :

— Ne venez pas encore me servir cette histoire ! J'ai dit qu'il n'y avait pas eu de copie et je le maintiens ! Quand je vends un modèle, il reste unique ! S'il y a eu une copie de faite, ç'a été à mon insu, et je n'en suis pas responsable !

— Il y a eu une copie de faite, et la dame qui l'a achetée est venue s'exhiber au Casino, face à Mendoza. Ne me dites pas le contraire : un de mes amis était avec cette femme. Et je suis venu vous voir, parce que je désire que vous me communiquiez le nom de cette cliente.

— J'en suis incapable, car cette femme n'a pas pu acheter ce chapeau chez moi. Nous n'allons pas rester à discuter de ça toute la journée, si ?

Cette fois, ce fut Lombard qui frappa le bureau du plat de la main :

— Bon sang, la vie d'un homme est en jeu! Alors, ne vous imaginez pas que vous m'aurez à l'intimidation! Vous m'entendez? Dans neuf jours, un homme risque d'être exécuté. Une seule personne au monde peut le sauver : la femme qui portait ce fameux chapeau. Il faut que vous me donniez son nom! Je me moque du chapeau, c'est la femme que je veux!

Elle se calma aussitôt et le regarda avec un intérêt nouveau :

— De quel homme s'agit-il?

— De Scott Henderson, condamné pour le meurtre de sa femme.

Elle hocha la tête :

— Oui, oui... Je me souviens d'avoir lu ça dans les journaux.

— Scott est innocent. Ce soir-là, tandis qu'on assassinait sa femme, il était avec celle qui arborait une copie du chapeau de Mendoza, mais il ignore tout d'elle, même son nom. Voilà pourquoi il faut que je retrouve cette personne à tout prix. Elle seule peut prouver l'innocence de mon ami, comprenez-vous?

Kettisha n'était pas femme à connaître beaucoup de moments d'indécision, et si elle hésita, ce fut bref :

— Vous êtes sûr que ça n'est pas une combine de cette folle pour me faire un procès? C'est cette seule crainte qui m'a empêchée de la poursuivre moi-même en justice, pour non-paiement de facture et pour être venue faire du scandale ici. Ce genre de publicité ne vaut rien à une maison comme la mienne.

— Je ne suis pas avocat, ni quoi que ce soit du même genre. Je suis ingénieur... Tenez, en voici la preuve! ajouta-t-il en lui exhibant ses papiers d'identité.

— Bon. Dans ce cas, je puis vous parler en confidence. Il s'agit d'une chose dont je ne voudrais, pour rien au monde, convenir devant Mendoza, vous comprenez! J'ai mené une enquête après que Mendoza fût venue me jeter son chapeau à la figure. Ma modéliste était au-dessus de tout soupçon, car elle est intéressée à la bonne marche de l'affaire, et elle se ferait du tort à elle-même en répétant clandestinement ses modèles. A nous deux, en procédant à des recoupements, nous avons pu établir que la fautive devait être une des ouvrières, une façonneuse. Elle a nié, bien entendu, mais si nous ne pouvions pas la prouver, nous n'en étions pas moins convaincues de sa culpabilité, et nous l'avons liquidée. C'est elle qu'il vous faut aller trouver, si vous voulez savoir qui était la dame en question.

— Vous avez son adresse?

— Je pense que oui, dit la modiste qui manœuvra l'interphone posé sur son bureau. Miss Lewis, regardez donc le nom et l'adresse de cette fille que nous avions congédiée après l'incident Mendoza...

En attendant le renseignement, elle considéra Lombard et dit, avec une intonation adoucie que bien peu de gens devaient lui connaître :

— Vous avez beaucoup d'affection pour lui, hein?

Il ne répondit pas. Répondre était inutile.

L'interphone vibra et Kettisha nota sur un papier :

— Madge Peyton... 498 Quatorzième Rue... Mais quelle Quatorzième Rue?

— Laissez faire, intervint Lombard. Il n'y en a jamais que deux : Est et Ouest.

Il se leva, alla reprendre son chapeau qu'il avait posé.

— Attendez un peu que je me souvienne de cette fille, dit la modiste, une main sur les yeux. Ça pourra vous aider d'être renseigné par elle... Oui, ça y est... je la revois. Le genre effacé, quelconque... le genre jupe et corsage. Ce sont ces filles-là qui sont susceptibles de vous faire des entourloupettes pour de l'argent, car l'argent leur vient moins facilement qu'à celles qui sont attrayantes. Elles ont plutôt peur des hommes et quand elles s'amourachent de l'un d'eux, c'est presque toujours d'un mauvais garçon, parce qu'elles manquent d'expérience et de points de comparaison.

C'était une femme intelligente, sans doute aucun, et c'était pour cela qu'elle était devenue Kettisha, au lieu de rester Kitty Shaw dans quelque faubourg.

— Nous avions fait payer cent dollars à Mendoza pour ce modèle. Elle n'en aura probablement pas obtenu plus de cinquante pour la copie. Que ça vous serve d'indication : un billet de cinquante lui ouvrira probablement la bouche.

*
* *

A travers le guichet pratiqué dans la porte, la femme demanda :

— Qui ?

— Madge Peyton... Une fille effacée... un peu quelconque...

— Oui, je vois qui vous voulez dire, mais elle n'habite plus ici. Ça fait même un moment.

— Savez-vous où elle est partie ?

— Non. Elle est partie, c'est tout ce que je peux vous dire.

— Mais enfin, les gens ne s'en vont pas comme ça, en fumée! Comment est-elle partie ?

— Sur ses deux pieds, sa valise à la main. Si ça vous intéresse, j'peux vous dire qu'elle a tourné à droite.

A droite, il y avait deux ou trois avenues transversales, puis un boulevard extérieur, puis un fleuve, puis quinze ou vingt États. Puis l'Océan.

XIV

LE 8ᵉ, LE 7ᵉ ET LE 6ᵉ JOUR AVANT L'EXÉCUTION

Après un voyage de trois heures, il descendit du train dans la gare d'une petite ville. Il consulta le dos d'une enveloppe où étaient inscrits une liste de noms suivis d'adresses. Ces noms se ressemblaient et seuls les deux derniers n'avaient pas encore été rayés :

> Madge Payton, modes
> Marge Payton, modes
> Margaret Peyton, chapeaux
> Magdax, modiste
> Madame Margot, modiste.

Quand elle lui ouvrit la porte, il sut que c'était elle, tant elle correspondait à la description faite par Kettisha. L'air quelconque et timide, corsage, jupe, un dé à coudre coiffant un de ses doigts.

— Miss Peyton, dit-il, j'ai eu du mal à vous retrouver.

Aussitôt elle s'effraya et, reculant, essaya de refermer la porte. Il l'en empêcha en bloquant le battant avec son pied.

— Vous devez faire erreur, balbutia-t-elle.

— Je ne le crois pas, répliqua-t-il.

Son effroi était une preuve, bien que Lombard n'arrivât pas à se l'expliquer. Comme elle continuait à secouer la tête, il dit :

— Vous travailliez pour Kettisha, à New York.

Elle devint pâle comme un linge et il la saisit par le poignet pour l'empêcher de s'enfuir.

— Une femme vous a contactée et vous a incitée à copier un modèle qui avait été créé pour Mendoza, l'actrice de music-hall.

Elle secouait la tête de plus en plus vite, comme si c'était la seule chose dont elle fût encore capable. Elle s'était rejetée en arrière et tirait désespérément sur le poignet qu'il retenait prisonnier dans sa main.

— Je ne vous demande que le nom de cette femme, c'est tout.

Mais elle était trop terrifiée pour entendre raison. Son visage était devenu gris, et ses yeux reflétaient l'affolement le plus total. Ce n'était pas le fait d'avoir copié un modèle qui pouvait lui causer une pareille peur. L'effet eût été hors de proportion avec la cause.

Lombard sentit qu'il venait, accidentellement, de tomber sur une autre histoire, se rattachant plus ou moins à celle qui l'intéressait.

— Rien que le nom de cette femme, répéta-t-il, mais il se rendit compte qu'elle ne devait même pas entendre ce qu'il disait. Vous ne serez pas poursuivie pour quoi que ce soit. Dites-moi simplement le nom de cette femme, c'est tout ce que je vous demande.

Elle retrouva enfin la parole, mais sa voix était rauque, déformée :

— Je... je l'ai noté. Lâchez-moi une minute... Je vais aller vous le chercher.

Il maintint son pied en place pour l'empêcher de refermer, et lâcha le poignet. Elle s'enfuit aussitôt, le laissant seul.

Il attendit un instant, puis quelque chose qu'il ne put s'expliquer, une impression de tension qu'elle avait laissée derrière elle, le fit se précipiter dans le couloir et ouvrir une porte à droite, qu'il venait juste d'entendre se refermer.

Quand il poussa le battant, il vit les ciseaux étinceler au-dessus de sa tête et il eut juste le temps de lever instinctivement le bras pour détourner le coup. Les ciseaux déchirèrent sa manche, entamèrent le gras de son bras. Il les lui arracha et les jeta à l'autre bout de la pièce.

— Pourquoi ? demanda-t-il en fourrant son mouchoir en tampon dans la déchirure de sa manche.

Elle s'effondra sur une chaise et fondit en larmes :

— Je ne l'ai pas revu depuis. Je ne savais qu'en faire... Mais j'avais peur de lui, peur de lui refuser... Il m'avait dit que c'était juste pour quelques jours, et maintenant, ça fait des mois... Je n'ai pas osé en parler à quelqu'un, parce qu'il avait dit qu'il me tuerait...

Il lui posa une main sur la bouche et l'y maintint un instant. Ça, c'était l'*autre* histoire, celle qui ne l'intéressait pas.

— Taisez-vous, petite idiote. Tout ce que je vous demande, c'est le nom de la femme pour qui vous aviez copié ce modèle de Kettisha. Est-ce que vous me comprenez, oui ou non ?

Elle n'arrivait pas à y croire :

— Vous dites ça, mais c'est pour me tromper, pour...

Un faible vagissement s'éleva quelque part dans l'appartement. Elle semblait s'effrayer de tout et pâlit de nouveau.

— De quelle religion êtes-vous ? lui demanda-t-il.

— Je suis catholique.

Au ton dont elle dit cela, il comprit qu'il venait d'effleurer une autre cause de drame.

— Vous avez un chapelet ?

Il se rendait compte qu'il lui fallait recourir à l'émotion,

puisqu'il ne semblait pas pouvoir la convaincre par le rai-
sonnement.

Elle lui présenta son chapelet et il étendit sa main droite
au-dessus de la sienne :

— Je jure que je suis venu vous trouver pour obtenir
le renseignement que je vous ai dit, et uniquement pour
cela. Vous ne courez aucun risque en me le donnant, et
rien d'autre ne m'intéresse. Allez-vous me croire maintenant ?

Elle s'était sensiblement calmée, comme si le contact du
chapelet suffisait à la réconforter :

— Pierrette Douglas, 6 Riverside Drive, dit-elle sans
hésiter.

Le vagissement prenait de la force. Elle regarda Lombard, puis passa vivement dans une petite alcôve, voilée
d'un rideau. Le vagissement s'arrêta net et elle reparut
tenant un bébé dont le petit visage rose se tournait vers
elle avec confiance.

Elle paraissait encore effrayée quand elle regardait Lombard, mais dès qu'elle abaissait les yeux, on ne pouvait se
méprendre sur l'expression qui la transfigurait. C'était
l'amour. Un amour coupable, furtif, mais obstiné. L'amour
de la fille solitaire, que chaque jour fortifie et rend plus
résistant.

— Pierrette Douglas, 6 Riverside Drive, répéta-t-il en
fouillant dans sa poche. Combien vous avait-elle donné ?

— Cinquante dollars, répondit-elle d'un air absent,
comme s'il s'agissait d'une chose depuis longtemps oubliée.

Il laissa tomber le billet dans un chapeau renversé qu'elle
devait être en train de terminer :

— Et la prochaine fois, tâchez d'avoir un peu plus de
sang-froid. Agir comme vous l'avez fait est le meilleur
moyen de vous trahir.

Elle ne l'écoutait pas, ne l'entendait pas. Elle souriait à
ce petit visage qui ne ressemblait pas au sien, mais qui

était sorti d'elle et qui était à elle. Ce petit visage qui l'occuperait désormais et bannirait loin d'elle la solitude.

— Bonne chance! lui dit-il avant de refermer la porte.

Il lui avait fallu trois heures pour venir là, mais il eut l'impression que le retour ne durait pas plus d'une demi-heure. Sous lui, les roues répétaient inlassablement : « Maintenant, je la tiens! Maintenant. je la tiens! Maintenant, je la tiens! »

XV

LE 5ᵉ JOUR AVANT L'EXÉCUTION

L'auto était arrivée sans bruit, au-delà des portes vitrées, et elle repartit dans un léger ronronnement.

Il leva la tête et vit la femme qui avait déjà poussé à demi une des portes, mais s'attardait un instant, se retournait pour suivre du regard l'auto qui s'en allait.

Sans aucune raison, il fut immédiatement certain que c'était elle. Elle était extrêmement belle, si belle que, comme tout ce qui est excessif, ça ne faisait même plus d'effet. Elle était comme une statue incapable de provoquer un émoi autre qu'artistique. En la voyant si parfaite extérieurement, on pensait que, par compensation, ses autres qualités devaient être rares. Grande, brune, faite au moule, elle avait une robe qui semblait d'argent liquide. L'auto ayant disparu, elle tourna enfin la tête et acheva d'entrer.

Elle n'eut pas un regard pour Lombard et gratifia d'un bonsoir indifférent le portier qui lui dit aussitôt :

— Ce monsieur...

Lombard ne lui laissa pas le temps d'achever :

— Pierrette Douglas? dit-il en rejoignant la femme.

— Oui.

— Je vous attendais. Je désire vous parler. Il le faut. C'est urgent.

Elle s'était arrêtée devant l'ascenseur, n'ayant visiblement pas l'intention de prolonger l'entretien au-delà de sa grille :

— Il est quand même un peu tard, ne croyez-vous pas ?

— Pas pour cela. Ça ne peut attendre. Je m'appelle John Lombard et si je suis ici, c'est pour Scott Henderson...

— Je ne le connais pas et je crains de ne pas vous connaître davantage... ou me trompè-je ?

— Il est actuellement dans la cellule des condamnés à mort et dans cinq jours il sera exécuté si... Mais ne m'obligez pas à vous raconter tout cela ici, dit-il en jetant, par-dessus son épaule, un regard au portier.

— Je regrette, mais j'habite ici. Il est une heure un quart du matin. Je ne tiens pas à ce que les gens... Enfin ! Venez par là...

Traversant le hall en diagonale, elle le conduisit dans une petite alcôve meublée d'un divan et de deux cendriers sur pied, mais elle resta debout, et se tourna vers Lombard en haussant les sourcils.

— Vous avez, dit-il, acheté un chapeau à une certaine employée de la maison Kettisha, une nommée Madge Peyton, et vous le lui avez payé cinquante dollars.

— C'est possible.

— Et vous aviez ce chapeau, un soir, quand vous êtes allée au théâtre avec un homme.

— C'est encore possible, dit-elle d'un ton lassé. Je vais au théâtre et j'y suis toujours accompagnée. Voulez-vous en venir au fait, je vous prie ?

— L'homme dont je parle, vous veniez seulement de le rencontrer. Vous avez passé la soirée avec lui sans connaître son nom et sans lui avoir dit le vôtre.

— Ça, non.

Elle n'était pas indignée, mais froidement affirmative :

— Je puis vous dire avec certitude que vous vous trompez. Je ne suis pas collet-monté, Dieu sait, mais enfin, je ne me laisse pas aller jusqu'à sortir avec n'importe qui, n'importe quand, sans même que les présentations aient eu lieu. On vous a mal renseigné et c'est une autre personne que vous cherchez.

— Je vous en prie ! Nous ne sommes pas ici pour discuter du Guide des Convenances. Je vous répète que cet homme est condamné à mort et sera exécuté dans moins d'une semaine ! Vous lui devez d'intervenir...

— Tâchons de nous comprendre. Cela lui serait-il utile si je faisais un faux témoignage, en déclarant que j'étais certain soir avec lui ?

— Non, non ! Il n'est pas question de vous demander un faux témoignage, mais simplement la vérité...

— Dans ce cas, je ne peux pas dire que j'étais avec lui, car ça n'est pas vrai, rétorqua-t-elle en soutenant le regard de Lombard.

— Revenons au chapeau, alors ! dit celui-ci. Vous avez bien acheté la copie d'un modèle qui avait été créé pour une autre personne ?

— Je vous ai dit que c'était possible, mais cela ne signifie pas que j'aie accompagné un inconnu au théâtre. Ces deux faits n'ont aucun rapport.

De cela, il était bien obligé de convenir, et il lui semblait voir une crevasse béer soudain à ses pieds, alors qu'il croyait se trouver enfin sur un terrain solide.

— Donnez-moi un peu plus de détails. Pourquoi pensez-vous que je puisse être la femme en question ?

— A cause du chapeau. Ce même soir, sur la scène de ce théâtre, le Casino, la vedette du spectacle, Mendoza, portait un chapeau identique, le modèle ayant été créé pour elle. Vous avez reconnu avoir acheté une copie de ce modèle. Et la femme qui accompagnait Scott Henderson était coiffée de cette copie.

— Il ne s'ensuit pas forcément que je sois cette femme. Votre déduction n'est pas aussi logique que vous semblez le croire.

Mais elle dit cela simplement pour parler, l'esprit soudainement occupé ailleurs. Quelque chose venait de se produire qui avait sur elle un effet favorable. Quelque chose qu'il avait dit ou qu'elle venait de penser. Le visage de statue trahissait le vif intérêt que la dame accordait soudain à l'histoire.

— Dites-moi encore une ou deux choses... C'était bien pendant que la Mendoza jouait au Casino? Vers quelle date, approximativement?

— Je puis vous donner la date exacte. C'était le 20 mai dernier, entre neuf et onze heures du soir.

— En mai, répéta-t-elle. Voilà qui m'intéresse beaucoup...

Du bout des doigts, elle effleura la manche de Lombard :

— Vous aviez raison. Mieux vaut que vous montiez un instant chez moi.

Dans l'ascenseur, elle dit simplement :

— Je suis très heureuse que vous soyez venu me parler de ça.

Ils s'arrêtèrent au douzième étage. Elle ouvrit une porte avec sa clef et alluma. Il la suivit à l'intérieur de l'appartement. Négligemment elle laissa glisser sur un fauteuil l'étole de renard qu'elle avait gardé suspendue à son bras. Elle s'éloigna sur le parquet ciré qui la reflétait comme une colonne d'argent :

— Le 20 mai, n'est-ce pas? dit-elle par-dessus son épaule. Je reviens tout de suite. Asseyez-vous.

Elle reparut avec une poignée de factures qu'elle faisait passer d'une main dans l'autre. Avant d'avoir rejoint Lombard, elle dut trouver celle qui lui convenait, car elle rejeta les autres sur un meuble.

— Avant d'aller plus loin, dit-elle, la première chose à établir, il me semble, est que je ne suis pas la personne qui accompagnait votre ami au théâtre, ce soir-là. Regardez ceci...

C'était un relevé de frais de clinique, pour une période de quatre semaines à compter du 30 avril.

— J'ai dû me faire opérer de l'appendicite et je suis restée à la clinique du 30 avril au 27 mai dernier. Si ce document ne suffit pas à vous convaincre, vous pourrez vérifier sur place...

— Non, je vous crois, dit-il en ne cachant pas sa déception.

Cependant, au lieu de considérer dès lors l'entretien comme terminé, elle s'assit à son tour et alluma une cigarette.

— Mais c'est bien vous qui aviez acheté ce chapeau ?

— Oui, c'est bien moi.

— Qu'est-il devenu ?

Elle ne répondit pas immédiatement et parut s'abstraire dans ses pensées. Un silence étrange pesa sur la pièce, que Lombard se mit à examiner en attendant que son interlocutrice reprît la parole.

Cette pièce lui apprenait bien des choses. L'adresse de l'immeuble suffisait à poser Pierrette Douglas dans le monde élégant, mais, à l'intérieur de son appartement, il n'y avait pas assez de tapis sur le parquet merveilleusement ciré, pas assez de meubles anciens pour une aussi vaste pièce. Ici et là, il y avait des vides, provenant sans doute de meubles qu'il avait fallu vendre l'un après l'autre. Mais on ne s'était pas abaissé à boucher ces trous avec de la camelote. La femme, elle-même, confirmait l'histoire contée par la pièce. Ses chaussures venaient certainement de chez un bottier et avaient bien dû coûter cinquante dollars, mais on voyait qu'elle les portait depuis un peu trop long-temps. La robe avait une ligne qui n'avait pu être conçue que par un grand couturier, mais, elle aussi, avait été beaucoup portée.

Les yeux, également, trahissaient la femme aux aguets d'une occasion et vivant dans la crainte de ne pas être assez prompte pour la saisir, quand elle se présenterait.

Lombard, en demeurant assis et silencieux, avait l'impression d'écouter les pensées de cette femme. Oui, de les écouter. Quand il la vit regarder sa main, en éteignant machinalement sa cigarette dans un cendrier, il se dit : Elle pense à la bague qu'elle n'a plus. Qu'est-elle devenue? Mont-de-Piété, sans doute. Le regard glissa sur la jambe qu'elle venait de découvrir en relevant légèrement sa robe : des nylons, une avalanche de bas, plus qu'elle n'en saurait jamais user. Il comprit qu'elle pensait à de l'argent pour se procurer tout cela et plus encore. Il se rendit compte, à la façon dont elle releva la tête, qu'elle venait de prendre une décision et, de fait, elle répondit à la question qu'il lui avait posée, un instant auparavant :

— L'histoire de ce chapeau est toute simple. L'ayant vu et trouvé amusant, je m'entendis avec cette fille pour le faire copier. Quand je peux me le permettre, je cède facilement à ce genre d'impulsions. Je ne crois pas avoir mis ce chapeau plus d'une seule fois... (Elle eut un léger haussement d'épaules qui fit étinceler sa robe.) Il ne m'allait pas. J'en fus un peu déçue, mais ça n'était pas un bien grand drame. Sur ces entrefaites, alors que je m'apprêtais à partir pour la clinique, une de mes amies qui était venue me voir ici l'aperçut et l'essaya. Si vous étiez femme, vous connaîtriez ça. Quand on attend, pendant qu'une amie finit de s'habiller, on passe le temps en essayant ses dernières emplettes. Cette amie s'emballa pour ce chapeau et je lui dis de l'emporter.

De nouveau, un léger haussement d'épaules, comme si

c'était tout, comme s'il n'y avait plus rien à ajouter après cela.

— Et qui est cette amie? demanda-t-il posément.

Mais il savait déjà très bien que la réponse ne lui serait pas donnée comme ça.

Tout aussi posément, négligemment, elle rétorqua :

— Serait-ce bien loyal de ma part, si je vous le disais?

— La vie d'un homme est en jeu. Un homme qui doit mourir vendredi.

— Est-ce à cause d'elle? Est-elle responsable s'il est en prison. Répondez-moi.

— Non, soupira-t-il, elle n'est cause de rien.

— Alors, est-il juste de la mêler à ça? Pour certaines femmes, le scandale, la perte d'une réputation, peut équivaloir à la mort. La seule différence, c'est qu'il s'agit d'une mort lente, et je me demande si ça n'est pas pire.

La tension nerveuse le faisait pâlir chaque instant davantage :

— Il doit bien y avoir en vous quelque chose que je puisse émouvoir! Vous est-il vraiment indifférent que cet homme meure? Vous rendez-vous compte qu'en me refusant ce renseignement...

— Après tout, je ne connais pas cet homme, tandis que je connais la femme. Elle est mon amie, il ne m'est rien, et vous me demandez de la compromettre pour le sauver.

— Alors, vous refusez de me dire son nom?

— Je ne l'ai pas encore fait.

Le sentiment de son impuissance le faisait suffoquer :

— Vous ne pouvez pas agir ainsi! Ce serait la fin... Vous allez me dire le nom de cette femme!

Ils s'étaient levés tous deux, d'un même mouvement, face à face.

— Vous vous sentez assurée, parce que vous vous dites que je ne vous frapperai pas pour vous forcer à parler, comme je le ferais si vous étiez un homme. Mais je ne supporterai pas que vous vous taisiez, que vous...

Il l'avait saisie par le bras, mais il la relâcha sous le choc du regard glacial qu'elle lui décocha.

— Dois-je appeler pour vous faire partir? demanda-t-elle en remontant l'épaulette argentée qu'il avait fait glisser.

— Si vous désirez voir un beau scandale, essayez!

— Vous ne pouvez quand même pas m'obliger à vous dire ce nom. Je demeure entièrement libre de parler ou de me taire. Qu'allez-vous faire?

— Ça!

Son visage se troubla à la vue du revolver. Mais ce fut seulement l'effet de la surprise et ça ne dura qu'un instant. Elle s'assit même, non point comme si elle avait les jambes coupées par l'émotion, mais avec une majestueuse lenteur: la discussion pouvait se prolonger et elle préférait ne pas se fatiguer inutilement.

Il n'avait jamais vu une femme comme ça. Elle était de nouveau parfaitement calme; c'était elle qui avait le dessus, et non pas lui avec son revolver.

— N'avez-vous donc pas peur de mourir?

Elle le regarda bien en face:

— Si, beaucoup, répondit-elle posément. Mais, pour l'instant, je ne suis pas en danger. Vous ne pouvez pas vous permettre de me tuer. On tue des gens pour les *empêcher* de parler, mais jamais pour les *forcer* à dire quelque chose. Car, une fois morts, comment pourraient-ils parler? En dépit de votre revolver, c'est encore moi qui suis maîtresse de la situation. Je pourrais appeler la police, mais je n'en ferai rien. Maintenant que je suis assise, j'attendrai simplement que vous veuilliez bien rempocher votre arme.

Subjugué, il obéit en disant d'une voix étranglée:

— D'accord. Vous avez gagné.

— Vous voyez, dit-elle avec un léger rire, vous ne pouvez pas me faire peur...

Elle prit un temps, afin qu'il comprît à demi-mots :

— Mais vous pouvez encore m'intéresser.

Il hocha la tête, comme si cela le confirmait dans l'opinion qu'il s'était faite. En deux enjambées, il gagna une petite table devant laquelle il s'assit. Il sortit quelque chose de sa poche, en détacha une feuille selon un pointillé, et rangea le reste. Quand il prit son stylo et le dévissa, sur la table, devant lui, il y avait un chèque.

— Est-ce que je continue à vous intéresser ?

Elle eut ce sourire qui vient tout naturellement sur les lèvres, quand deux personnes se comprennent parfaitement.

— Votre compagnie me paraît fort agréable.

— Comment épelez-vous votre nom ?

— P-o-r-t-e-u-r.

— Pas très phonétique, fit-il en se remettant à écrire après lui avoir jeté un coup d'œil.

Dans la case supérieure, il inscrivit « 100 ». Elle s'était insensiblement rapprochée et son regard tombait en biais sur la petite table.

— J'ai sommeil, dit-elle en feignant de bâiller derrière ses doigts gracieusement levés.

— Pourquoi n'ouvrez-vous pas la fenêtre ? Il fait plutôt étouffant ici.

— Je suis certaine que ça ne vient pas de là, répliqua-t-elle, mais elle alla néanmoins ouvrir la fenêtre et revint près de la table.

Entre-temps, il avait rajouté un zéro.

— Comment vous sentez-vous maintenant ? s'enquit-il, avec une ironique sollicitude.

— Beaucoup mieux. J'ai l'impression de revivre.

— Cela tient parfois à si peu de chose, n'est-ce pas ?

— Certes ! A rien, pour ainsi dire.

160

Mais il ne continua pas d'écrire, gardant simplement son stylo à la main.

— C'est indigne, vous savez?

— Ce n'est pas moi qui suis venue vous trouver, mais vous qui vouliez me demander quelque chose. Bonsoir.

De nouveau, la plume revint vers le chèque.

* * *

Face à la porte ouverte, il prenait congé d'elle quand l'ascenseur arriva, en réponse à son appel. Il tenait à la main un petit morceau de papier, une feuille de bloc pliée en deux.

— J'espère que je ne vous ai pas semblé trop grossier...

Il eut un sourire :

— En tout cas, je suis certain de ne vous avoir pas ennuyée. Veuillez seulement excuser l'heure tardive de ma visite : ce sont les circonstances qui m'ont contraint à cette incorrection.

En réponse à une remarque qu'elle avait dû lui faire à voix basse, le liftier l'entendit dire :

— N'ayez aucun souci à cet égard. Je n'aurais pas signé ce chèque, si j'avais dû y faire opposition. Est-ce que l'argent compte quand...

— Vous avez appelé, monsieur? demanda le liftier, las d'attendre.

Il tourna aussitôt la tête :

— Ah! oui, oui... j'arrive! Eh bien... bonne nuit!

L'ayant saluée ironiquement avec son chapeau, il pivota lestement sur ses talons. La porte claqua derrière lui.

Dans la cabine, comme le liftier venait d'actionner la manette, il jeta un coup d'œil sur le papier qu'il tenait à la main.

— Hé, un instant! s'exclama-t-il aussitôt. Elle ne m'a mis qu'un nom...

— Vous voulez remonter, monsieur ? demanda le liftier, en ralentissant la manœuvre.

Il fut sur le point d'acquiescer, puis secoua la tête après avoir jeté un coup d'œil à sa montre :

— Non, ça ne fait rien. Je crois que ça ira quand même...

La descente s'accéléra de nouveau.

Dans le hall, il s'approcha du portier en lui présentant le papier.

— Pouvez-vous me dire de quel côté c'est ? A droite ou à gauche, en sortant d'ici ?

Sur la feuille, il y avait deux noms séparés par un numéro : *Flora* et *Amsterdam*.

∗

— Enfin, nous y sommes! annonça-t-il à Burgess, deux ou trois minutes plus tard, dans la cabine téléphonique d'un drugstore. Je croyais en avoir terminé, mais il y a encore un autre chaînon. Seulement, cette fois, c'est bien le dernier. Je vous expliquerai après... Je m'y rends tout de suite... Dans combien de temps pouvez-vous y être ?

∗

Se penchant en avant dans la voiture de patrouille, Burgess reconnut l'auto de Lombard, arrêtée le long du trottoir et apparemment vide. Il sauta sur la chaussée, sans que le chauffeur eût presque ralenti, et revint sur ses pas. Du côté de l'immeuble, il aperçut alors Lombard, assis sur le marche-pied.

A le voir ainsi, plié en deux, la tête penchée vers le trottoir, il le crut d'abord malade. A quelques pas de Lombard, un homme en manche de chemise, une pipe à la main, le regardait avec compassion, tout en caressant machinalement la tête d'un chien-loup.

En entendant Burgess approcher d'un pas rapide, Lombard releva un peu la tête, puis la laissa retomber comme s'il était à bout de forces.

— C'est ici? Que se passe-t-il? Vous êtes déjà entré?

— Non, c'est là-bas...

De la main, il désigna une vaste porte cochère, béante comme l'entrée d'une caverne. Sur le fronton, on pouvait lire, inscrit en lettres dorées

Ville de New York
... eme Brigade de Sapeurs-Pompiers

— C'est le numéro, dit Lombard en tendant le papier qu'il tenait à la main. Et ils m'ont expliqué que Flora... c'était leur chienne.

Il frappait en vain contre la double porte, quand Burgess le rejoignit avec un passe. Il le lui prit aussitôt en disant :

— Elle ne répond pas! Elle a dû ficher le camp!

— Non, le portier l'aurait vue partir. A moins que... Donnez-moi cette clef, ou nous n'arriverons jamais à entrer!

La porte ouverte, un tableau terriblement éloquent s'offrit à leurs yeux.

En face d'eux, à l'autre extrémité du vaste living-room, la haute porte-fenêtre était ouverte sur la nuit. Juste devant celle-ci, entre les battants vitrés, telle une barque abandonnée sur la grève, il y avait un escarpin argent, renversé sur le côté. Et le long tapis qui aboutissait à la fenêtre, en divisant l'étendue miroitante du parquet ciré, présentait une série de plis désordonnés, semblables à des vagues qui seraient venues se figer à leurs pieds.

Faisant un léger crochet pour ne marcher que sur le

parquet, Burgess s'approcha de la fenêtre, posa ses deux mains sur la balustrade de fer forgé, décorative mais ridiculement basse, et demeura un long moment ainsi appuyé, sans dire un mot. Quand il se redressa enfin et revint vers l'intérieur de la pièce, il eut un hochement de tête à l'adresse de Lombard qui était resté près de la porte, comme paralysé :

— Oui... elle est en bas... dans la cour. Personne n'a rien dû entendre, car toutes les fenêtres sont obscures...

Il vit alors la cigarette par terre, près du tapis... une cigarette à demi consumée d'où montait encore une spire de fumée. Il la ramassa et regarda d'un air pensif les légères traces de rouge à lèvres qui en maculaient le bout.

— J'ai bien peur que ce soit nous qui ayons causé sa mort, dit-il avec lenteur. Le drame est facile à reconstituer : il suffit d'avoir des yeux pour voir. Elle était à la fenêtre, la tête sans doute pleine de projets, fumant une cigarette et respirant l'air pur de la nuit avec une joie toute neuve. La sonnerie du téléphone, quand le portier l'a appelée pour la prévenir de notre arrivée, a dû la faire sursauter et elle s'est retournée trop brusquement. Un de ses pieds — les deux peut-être — a dérapé sur le tapis qui a glissé sur ce parquet ciré, et elle est tombée à la renverse, en perdant un de ses souliers. Ça n'eût été que comique, si elle ne s'était trouvée si près de la fenêtre ouverte...

Il y eut un silence terriblement expressif.

— Mais, ce que je ne m'explique pas, reprit Burgess, c'est cette adresse qu'elle vous a donnée. Était-ce une farce de mauvais goût, ou quoi ? Plaisantait-elle ?

— Non, elle ne plaisantait pas, assura Lombard. Elle voulait cet argent et elle était résolue à l'avoir. Si vous l'aviez vue faire, vous n'en douteriez pas.

— Je comprendrais qu'elle vous eût donné une fausse adresse, vous obligeant à quitter New York, de façon qu'elle ait le temps d'encaisser le chèque et de ficher le camp avant

164

votre retour. Mais cette rue d'Amsterdam n'est qu'à quelques centaines de mètres d'ici... Elle devait bien se douter que vous seriez de retour dans cinq ou dix minutes. Alors, pourquoi?

— A moins qu'elle n'ait pensé pouvoir tirer une plus forte somme de la dame en question, en l'avertissant que je la recherchais. Auquel cas, elle aurait fait cela simplement pour que je m'en aille et qu'elle puisse lui téléphoner...

Burgess eut une moue dubitative, mais ne fit aucun commentaire. Aussi bien Lombard n'en attendait-il pas. Les épaules voûtées, il avait pivoté légèrement sur place, et comme vidé de tout espoir regardait la pièce d'un air morne. Puis, brusquement, il se lança, les poings levés, contre le mur qui était en face de lui et le frappa de toutes ses forces, à coups redoublés, avant de s'affaisser contre cette paroi insensible, en gémissant :

— *Ils* savent! Maintenant, ces murs sont seuls à savoir quelque chose... et je ne peux pas les faire parler!

XVI

LE 3e JOUR AVANT L'EXÉCUTION

En descendant du train, avant d'entrer à la prison, il but un verre d'alcool. Mais, en eût-il bu dix ou cent, cela n'aurait rien changé aux faits. Ça ne pouvait pas transformer de mauvaises nouvelles en bonnes nouvelles, ni un arrêt de mort en décret sauveur.

Comment dire à un homme qu'il lui faut mourir? Comment lui annoncer que le dernier rayon d'espoir vient de s'éteindre?

Il se demandait s'il n'aurait pas mieux fait de ne point revenir, puisqu'il ne pouvait plus rien pour son ami. Cette entrevue allait être atroce, et il en frémissait par avance. Mais il lui avait semblé que ne pas revenir eût été une lâcheté. Et pouvait-il laisser Scott dans l'attente pendant trois jours encore? Pouvait-il le laisser faire sa dernière marche, sa marche à la mort, avec l'espoir d'être sauvé à la dernière minute?

Tout en suivant le gardien, il pensa:

— En sortant d'ici, je me saoule, je me saoule à fond! Je veux être ivre-mort, qu'on m'emmène dans un hôpital, et que je ne me rende plus compte de rien avant que ce soit fini!

166

Ils étaient arrivés. La véritable exécution, c'était maintenant.

Les pas du gardien s'éloignèrent et le silence qui suivit fut horrible. Ni l'un ni l'autre n'auraient pu l'endurer longtemps. Mais ce fut Henderson qui parla le premier.

— J'ai compris, va...

Ce fut comme si ces paroles brisaient le sortilège qui les paralysait. Se détournant de la fenêtre qu'il avait obstinément regardée jusqu'alors, Lombard posa ses deux mains sur les épaules de son ami :

— Écoute, je...

— Non, ce n'est pas la peine. Je l'ai lu sur ton visage.

— Je l'ai perdue de nouveau... Et, cette fois, je n'ai plus aucun moyen de la retrouver.

— Inutile d'en parler, je te dis. Laisse tomber.

Ce fut Lombard qui se laissa tomber au bord de la couchette, tandis que son ami demeurait adossé au mur opposé. Il n'y eut plus dans la cellule qu'un bruit de cellophane froissée, tandis qu'Henderson, machinalement, pliait en accordéon un paquet de cigarettes vide qu'il tenait à la main, puis le dépliait pour le replier à nouveau, et ainsi de suite interminablement.

A la longue, Lombard n'y put tenir :

— Arrête, veux-tu ? Ça me rend fou, ton truc.

Henderson regarda ses mains avec surprise :

— Ma vieille habitude, dit-il, comme s'excusant. Je n'ai jamais pu m'en guérir, même quand tout allait bien... Tu te rappelles ? Si j'étais dans un train, l'indicateur finissait le voyage tout corné... si j'attendais chez un médecin ou un dentiste, je massacrais ainsi le magazine qui me tombait entre les mains. Au théâtre, c'était le programme...

Henderson s'interrompit et regarda rêveusement le mur, au-dessus de la tête de Lombard :

— Le soir où je suis allé au Casino avec *elle*, je me rappelle l'avoir fait aussi. C'est drôle comme une petite chose

167

peut vous rester dans la mémoire, alors que les autres, les choses importantes... Qu'est-ce que tu as? Pourquoi me regardes-tu ainsi? Je me suis arrêté... acheva-t-il en jetant le paquet vide loin de lui.

— Ce programme. Le soir où tu étais avec elle... Tu l'as laissé sur ton fauteuil... ou jeté... comme on fait toujours?

— Non, elle a voulu les garder tous les deux. Ça je m'en souviens. Je la revois même les mettre dans son sac. Pourquoi, je ne sais pas... mais je suis sûr qu'elle les a emportés.

Lombard s'était remis debout :

— Si seulement nous trouvions le moyen d'en tirer parti...

— Que veux-tu dire?

— Elle l'a en sa possession. C'est la seule chose dont nous soyons sûrs.

— Rien ne prouve qu'elle l'ait encore, voyons...

— Si. Ou bien l'on jette immédiatement les programmes ou bien, si on les garde, c'est pendant des années. Il faudrait que cela puisse nous servir d'appât en quelque sorte... Tu comprends, ce programme, c'est comme qui dirait votre commun dénominateur, à elle et à toi : un programme qu'elle a en sa possession, mais dont le coin supérieur de chaque page a été soigneusement corné par toi. Si nous pouvions l'amener à exhiber ce programme, sans qu'elle se doute de notre but véritable, il la trahirait en nous la désignant automatiquement...

— Tu penses à une annonce?

— Oui, plus ou moins. A notre époque, il y a des gens pour collectionner toutes sortes de choses : des timbres, des briquets, des jeux de cartes, des soldats de plomb... Ils sont souvent disposés à payer très cher des riens auxquels ceux qui ne les collectionnent point n'attachent aucun prix...

— Et alors?

— Alors, je vais m'instituer collectionneur de programmes. Je vais devenir un millionnaire, prêt à jeter son argent par les fenêtres pour compléter sa collection de programmes. Je vais surgir brusquement dans la vie de New York et faire insérer des annonces pour arriver à satisfaire ma manie. Les journaux qui adorent ces histoires de piqués vont plaisanter à mon sujet, publier ma photo, et les vieux programmes vont affluer vers moi...

— Mais, mon pauvre vieux, même si tu les payes très cher, tes fameux programmes, pourquoi veux-tu qu'elle s'intéresse à ton offre? Elle doit certainement être très à son aise...

— Ça n'est pas prouvé.

— De toute façon, une manie aussi bizarre l'incitera à la méfiance.

— Tu dis ça, parce que tu sais que ce programme peut la trahir. Mais elle, elle l'ignore. Peut-être même n'a-t-elle pas remarqué les coins cornés... et, de toute façon, elle ne peut pas les croire aussi révélateurs. Comment se douterait-elle de ça? Il faudrait qu'elle pût nous entendre en ce moment, ce qui n'est pas le cas...

— Quand même, ça me paraît rudement aléatoire...

— Bien sûr que c'est aléatoire! Nous avons une chance sur mille de réussir, mais c'est mieux que rien. Je veux risquer le coup, Hendy. J'ai comme un pressentiment que ça va aboutir, même si tout le reste a échoué!

Lombard alla contre les barreaux appeler le gardien et, en sortant de la cellule, il se retourna vers son ami :

— Allez... au revoir!

— Au... au revoir, répondit Henderson.

Et tandis que les pas de son ami s'éloignaient, le malheureux pensa :

— Il dit ça pour ne pas me laisser sans espoir... mais il n'y croit pas plus que moi, et je ne le reverrai probablement jamais.

* * *

Annonce insérée dans tous les quotidiens du matin et du soir :

Une mine d'or
dans vos vieux programmes de theatre !

Riche collectionneur, de passage à New York, paiera très cher programmes manquant à sa collection. Vieux ou neufs, soumettez-les lui. Particulièrement intéressé par programmes music-halls de ces dernières saisons qu'il a manqués durant sa tournée en Europe. Achète à la pièce et non par lots. Intermédiaires s'abstenir. J. L. 15 Franklin Square. Hâtez-vous! L'acheteur repartira vendredi soir.

XVII

LE JOUR DE L'EXÉCUTION

Vers neuf heures et demie du soir, pour la première fois seulement de la journée, il n'y eut dans la boutique que Lombard et son jeune assistant.

Lombard se laissa tomber sur une chaise, exténué. Il était en veston, mais avait retiré sa cravate et ouvert le col de sa chemise. Le mouchoir qu'il passa sur son visage était devenu presque gris, car les gens ne semblaient pas se donner la peine de secouer la poussière de leurs vieux programmes avant de venir les lui proposer. Ils devaient avoir l'impression que, plus la poussière était épaisse, plus la valeur était grande : comme sur les bouteilles de bon vin.

Tournant la tête, il dit à son aide qui disparaissait derrière des piles de programmes :

— Vous pouvez vous en aller maintenant, Jerry. Je fermerai dans une demi-heure. Il ne viendra plus grand monde à présent.

Le jeune homme alla décrocher son veston et Lombard lui tendit de l'argent :

— Tenez, Jerry, voici quinze dollars pour ces trois jours.

— Vous n'aurez donc plus besoin de moi, m'sieur ? fit l'autre, déçu.

— Non, demain, je ne serai plus ici, confirma Lombard d'un air sombre. Mais vous pourrez disposer aussi de tous ces programmes. Un chiffonnier vous en donnera bien quelque chose, au poids du papier.

Le nommé Jerry n'en revenait pas :

— Comment, m'sieur... ? Ça fait trois jours que vous en achetez, et maintenant, vous me dites de vous en débarrasser ?

— Oui, je suis comme ça, acquiesça Lombard. Mais attendez pour ébruiter la chose, car il peut encore me venir quelques clients.

Le jeune homme s'en alla, après l'avoir observé plusieurs fois à la dérobée.

— Il doit me croire fou, pensa Lombard, et ça n'a rien d'étonnant. Il faut bien que je sois fou pour avoir imaginé que ça pouvait réussir, qu'elle donnerait dans le panneau. Enfin, c'était un risque qu'il fallait courir.

Une jeune femme passa sur le trottoir, juste comme Jerry sortait, et Lombard la remarqua uniquement parce qu'il avait suivi son assistant du regard, et qu'elle s'interposa un instant entre eux. Rien d'intéressant. Une femme quelconque. Une simple passante. Elle eut cependant une brève hésitation devant la porte, probablement causée par la curiosité, puis continua son chemin le long de la vitrine vide. En revanche, un vieux bonhomme en pardessus à col de fourrure, un lorgnon à cordonnet de soie noire perché sur son nez, entra dans la boutique et, derrière lui, Lombard aperçut un chauffeur de taxi, porteur d'une petite malle. Le visiteur se campa devant la table de bois blanc qui servait de bureau à Lombard et prit une pose avantageuse :

— Cher monsieur, vous avez de la chance que votre annonce me soit tombée sous les yeux. Je suis en mesure d'enrichir considérablement votre collection. J'ai là quelques raretés qui vont vous ébahir. Figurez-vous que j'ai un exemplaire du vieux Jefferson Theatre...

— Inutile, dit vivement Lombard. Ma collection du Jefferson Theatre est complète.

— De l'Olympia, alors, j'ai...

— Ça ne m'intéresse pas. A la vérité, il ne me manque plus qu'un spécimen... Casino, saison de l'année dernière. Avez-vous ça?

— Le Casino? fit l'autre d'un air intensément dégoûté. Vous venez me parler du Casino, à moi qui fus un des plus grands tragédiens que la scène américaine ait connus?

Le chauffeur fit demi-tour avec la malle et le propriétaire de cette dernière se retourna une dernière fois sur le seuil de la boutique pour lancer, comme une ultime réplique :

— Le Casino!... Non, mais vous vous rendez compte?

De nouveau, il y eut un temps mort, puis l'ex-tragédien fut remplacé par une vieille femme coiffée pour la circonstance d'un chapeau orné d'une grosse rose, qui semblait venir d'une poubelle ou bien avoir dormi quelques lustres au fond d'un placard. D'une main qui n'avait pas dû arriver à retrouver un geste depuis longtemps oublié, elle s'était plaqué une tache de rouge sur chaque pommette.

Comme il levait les yeux vers l'arrivante, Lombard vit repasser, derrière elle, la même jeune femme que précédemment. Mais, cette fois, elle allait dans la direction opposée. De nouveau, elle tourna légèrement la tête et jeta un coup d'œil à l'intérieur de la boutique. Elle parut même sur le point de s'arrêter, mais disparut après une brève hésitation.

Évidemment, on avait beaucoup parlé de ces achats de programmes et certains journaux avaient même envoyé des photographes prendre un cliché de la boutique, en plein « coup de feu ». Il y avait de quoi susciter la curiosité d'une passante... Et peut-être s'en revenait-elle de faire une course dans le voisinage... En pareil cas, on prend souvent au retour le même chemin qu'à l'aller.

L'épave qui se tenait devant lui demanda d'une voix mal assurée :

— C'est bien vrai, monsieur? Vous donnez de l'argent pour de vieux programmes?

— Pour certains, oui, dit-il en ramenant son attention vers elle.

Elle fouilla dans un sac en tapisserie :

— Je n'en ai apporté que quelques-uns, monsieur. Mais je les ai tous gardés... Ça date du temps où je chantais dans les revues... Voici celui des *Midnight Rambles* et celui des *Frolics*, en 1911...

D'une main tremblante d'appréhension, elle les déposa sur la table et tourna les feuillets jaunis, comme pour confirmer ses dires :

— Tenez, c'est moi là... Dolly Golden. Je jouais l'Esprit de la Jeunesse dans le finale...

Il n'est pas, pensa Lombard, de plus grand assassin que le temps. Et c'est un assassin qui n'est jamais puni.

Regardant les mains abîmées et non les programmes, il dit :

— Un dollar chacun.

Elle suffoqua de joie :

— Oh! Dieu vous bénisse, monsieur! Si vous saviez comme ça tombe à point!

Avant qu'il ait pu l'en empêcher, elle lui avait saisi la main et la portait à ses lèvres. Des larmes délayaient le rouge de ses joues :

— Je n'aurais jamais pensé qu'ils pouvaient valoir autant!

Et elle ne s'était pas trompée : ils ne valaient rien.

— Tenez...

— Oh! maintenant, je vais... je vais faire un *vrai* dîner!

Elle sortit, chancelant sous cet heureux coup du sort.

Une jeune femme se dressa à la place que la vieille occupait l'instant d'avant. Elle avait dû entrer sans qu'il la remarquât. C'était celle qui était déjà passée deux fois devant la boutique... Du moins, autant qu'il pouvait en juger, car, précédemment, il n'avait fait que l'entrevoir.

A la vérité, elle lui avait paru plus jeune de loin... sans doute parce qu'elle était très mince. Mais, de près, son visage apparaissait fatigué, les traits tirés, les yeux cernés. Lombard sentit soudain des picotements assaillir sa nuque. N'osant pas la dévisager trop ouvertement, il abaissa les yeux pour qu'elle ne pût rien lire sur son visage.

Jusqu'à ces derniers temps, ç'avait dû être une assez jolie femme. Mais elle était en pleine dégringolade. On distinguait encore un certain air de raffinement intérieur, mais qui disparaissait rapidement sous une vulgarité extérieure et finirait par être étouffé définitivement. Il était probablement déjà trop tard pour tenter de la sauver. La déchéance semblait avoir été accélérée par la boisson ou par un revers inattendu de fortune. Ou peut-être avait-elle eu recours à l'une pour oublier l'autre. Et le regard avait une expression de crainte mêlée de culpabilité, qui était l'indice d'une grande détresse morale. Mais, maintenant qu'elle se savait tombée, elle semblait avoir acquis cette sorte d'élasticité, de résistance, qui vient de la fréquentation du trottoir et du comptoir. Ne pouvant aller plus bas, elle se maintiendrait ainsi pendant un certain temps, jusqu'à ce que le robinet à gaz de quelque chambre sordide mît un terme à son existence tourmentée.

Elle était entièrement vêtue de noir. Non pas le noir du deuil, ni celui qui est élégant, mais celui qu'on adopte parce qu'il laisse moins voir la saleté. Même ses bas étaient noirs, avec des reprises encore plus noires.

Quand elle parla, ce fut d'une voix rendue rauque par l'abus de l'alcool, bu à n'importe quelle heure du jour et de la nuit. Cependant, cette voix conservait quelques intonations distinguées et si elle employait des mots d'argot, on sentait que c'était parce qu'elle en avait contracté l'habitude et non point parce qu'elle ne savait pas parler autrement.

— Z'avez encore du fric pour des programmes ou j'ai loupé le coche ?

— Montrez-moi ce que vous avez, se contenta-t-il de répondre.

Il y eut un déclic quand elle ouvrit son grand sac aux plis fatigués et elle abattit vivement deux programmes sur la table. Deux programmes du même spectacle, au Régina, l'avant-dernière saison.

— Je me demande avec qui elle était allée voir cette revue, pensa Lombard. Elle devait encore être jolie, à ce moment-là, assurée du lendemain, ne se doutant pas...

Il feignit de consulter une liste de « manquants » :

— Oui, celui-là me manque... Sept dollars cinquante, les deux.

Comme il l'avait espéré, il vit ses yeux briller et, conscient d'avoir éveillé son intérêt, il demanda :

— En avez-vous d'autres ? C'est votre dernière chance de me les vendre, car je ferme ce soir.

Elle hésita, et il la vit regarder son sac :

— Ça vous intéresse, même si y en a qu'un ?

— Bien sûr. Tout dépend du programme.

— Bon, alors... Puisque je suis venue...

Elle ouvrit de nouveau son sac, mais le rabat resta posé sur ses mains, de telle sorte qu'il ne put voir à l'intérieur. Une de ses mains ressortit avec un programme, mais l'autre referma soigneusement le sac. Alors seulement, le programme fut déposé sur la table. Il le fit tourner vers lui et lut :

CASINO THEATRE

Depuis trois jours, c'était le premier qu'il voyait. D'un air faussement détaché, il le feuilleta pour voir la date : « Semaine du 17 au 23 mai ».

Il en eut la respiration coupée. C'était la semaine du drame, puisque celui-ci avait eu lieu le soir du 20. Il garda les yeux baissés pour ne pas trahir son émoi. Seulement... seulement les coins n'avaient pas été cornés. Même si on les avait redressés, une marque eût subsisté alors que ceux-ci étaient tous parfaitement lisses.

Il s'en fallut de peu que sa voix ne le trahît :

— Avez-vous la paire ? Je pourrais vous faire une meilleure offre si vous en aviez deux.

Elle lui jeta un regard inquisiteur et il surprit l'amorce d'un mouvement que sa main droite fit pour se porter de nouveau vers le sac, mais elle la reposa sur la table :

— Vous croyez peut-être que j'les imprime ?

— Non, mais il est rare qu'une femme aille seule au spectacle. N'aviez-vous pas quelqu'un avec vous, ce soir-là ?

Visiblement, la question ne lui plut pas et elle jeta un regard autour d'elle, comme cherchant à déceler quelque piège dissimulé dans la boutique, tout en reculant d'un pas :

— J'vous dis que j'en ai qu'un. Vous l'achetez ou vous l'achetez pas ?

— Pour la paire, je vous aurais donné plus du double...

Maintenant, elle semblait pressée de s'en aller :

— D'accord, mais vous n'avez qu'à me donner votre prix pour un seul.

Plutôt que de se rapprocher de la table, elle se pencha pour prendre l'argent.

Il la laissa aller jusqu'à la porte puis, de son ton le plus naturel, un ton qui n'avait rien pour alarmer sa visiteuse :

— Oh! attendez... Pouvez-vous revenir un instant. J'ai oublié un détail...

Elle tourna juste la tête, en s'immobilisant une seconde, et, comme il lui faisait signe de venir, elle poussa un cri étouffé avant de s'enfuir à toutes jambes.

Il contourna vivement la table pour s'élancer après elle, et fit choir plusieurs piles de programmes entassés soigneusement par Jerry.

Quand il sortit sur le trottoir, elle courait vers le coin de la rue, mais ses hauts talons avaient freiné son premier élan. Au même instant, elle regarda par-dessus son épaule et, voyant qu'il lui donnait la chasse, elle poussa un nouveau cri, réussit à accélérer sa course et contourna l'angle du dernier immeuble. Mais il eut tôt fait de la rejoindre, à quelques mètres de l'endroit où il avait justement laissé sa voiture en stationnement.

Il la saisit par une épaule, la fit pivoter sur place et la rejeta contre le mur proche, lui faisant une sorte d'enclave avec ses bras.

— Là... maintenant... ne bougez plus... lui dit-il en reprenant péniblement son souffle.

Mais elle était encore plus mal en point que lui. L'alcool avait dû miner son endurance et il crut qu'elle allait défaillir :

— L'ssez-moi... v's ai rien fait...

— Alors, pourquoi vous êtes-vous enfuie comme ça ?

— J'ai pas aimé... votre regard...

— Montrez-moi ce qu'il y a dans votre sac. Allez, ouvrez-le ! Ouvrez-le ou je l'ouvre moi-même !

— Lâchez-moi ! Laissez-moi tranquille, à la fin !

Sans se donner la peine de discuter davantage, il saisit le sac qu'elle serrait contre elle et le tira si violemment que la courroie élimée qu'elle avait passée à son bras, se cassa net. Tout en la coinçant contre le mur pour qu'elle ne pût s'enfuir, Lombard ouvrit fébrilement le sac et plongea sa main à l'intérieur. La main ramena un programme identique à celui que la fille venait de lui vendre. Mais celui-ci était en moins bon état... Toutes ses pages avaient leur coin supérieur corné. A la clarté incertaine d'un proche réverbère, il déchiffra la date. La même date que l'autre.

Le programme de Scott Henderson.

XVIII

L'HEURE DE L'EXÉCUTION

Vingt-deux heures cinquante cinq.

C'était la fin.

Il se sentait glacé bien qu'il transpirât et, au lieu d'écouter ce que lui disait l'aumônier, il se répétait : « Je n'ai pas peur... je n'ai pas peur... »

Mais il avait peur et il le savait. D'ailleurs, qui n'aurait eu peur à sa place ? L'instinct de la conservation, le désir de survivre, est enraciné dans le cœur de tout être vivant.

Il était étendu à plat ventre sur sa couchette et sa tête — dont le sommet avait été rasé — pendait de côté. L'aumônier était assis près de lui et sa main reposait sur son épaule. Quand l'épaule tremblait, la main tremblait aussi, par sympathie, bien que l'aumônier, lui, eût sans doute encore bien des années à vivre.

Il ne pouvait empêcher son épaule de trembler. C'est une chose atroce que de connaître l'heure de sa mort.

L'aumônier récitait le 23e psaume à mi-voix :

— Verts pâturages, rafraîchissez mon âme...

Mais au lieu de le réconforter, cela ne faisait qu'accentuer son désespoir. Il ne voulait pas de l'autre monde. Il voulait continuer à vivre dans celui-ci.

Le poulet rôti, les gaufres et la tarte qu'il avait mangés plusieurs heures auparavant, semblaient être restés collés dans sa poitrine, sans pouvoir descendre plus bas. Mais ça n'avait pas d'importance : il n'avait plus le temps d'avoir une indigestion.

Il se demanda s'il avait encore celui de fumer une autre cigarette. Ils lui en avaient apporté deux paquets avec son dernier repas et il ne lui en restait plus que la moitié d'un. Mais c'était stupide d'avoir une pareille préoccupation : quelle différence cela ferait-il si, au lieu de pouvoir la fumer jusqu'au bout, il devait jeter cette cigarette après en avoir tiré une seule bouffée ? Mais il avait toujours détesté le gaspillage et il est difficile de se défaire des habitudes de toute une vie.

Il posa la question à l'aumônier et celui-ci, interrompant la récitation du psaume, au lieu de répondre directement, lui dit :

— Oui, fumez-en une autre, mon fils.

Il lui présenta aussitôt une allumette enflammée. Et cette précipitation signifiait clairement qu'il n'y avait plus une seconde à perdre.

Il laissa retomber sa tête au bord du lit et la fumée s'échappa de ses lèvres grises. L'aumônier lui posa de nouveau la main sur l'épaule, comme pour calmer, pour dompter la peur.

Dans le couloir sonore, des pas se rapprochaient avec une horrible lenteur. Au lieu de se relever, la tête de Scott Henderson tendit encore davantage à toucher le sol. La cigarette s'échappa de ses lèvres, roula sur le ciment. La main de l'aumônier se fit plus pesante, le rivant presque à la couchette.

Les pas s'étaient arrêtés. Il devina qu'ils étaient de l'autre côté des barreaux, le regardant. Ce fut plus fort que lui; il se redressa et tourna lentement la tête :

— C'est maintenant?

La porte de la cellule glissa sur ses rails, et le gardien dit :

— C'est maintenant, Scott.

***

Le programme du pauvre Scott Henderson reparaissant à la onzième heure. Il avait lâché le sac qui gisait à ses pieds et la femme se tortillait le long du mur contre lequel il la coinçait, pour essayer de lui échapper.

Avant toute chose, il rangea soigneusement le programme dans une des poches intérieures de son veston puis, saisissant la femme à deux mains, il l'entraîna irrésistiblement jusqu'à sa voiture :

— Montez, espèce de sans-cœur! Vous allez venir avec moi! Vous savez ce que vous avez presque réussi à faire, n'est-ce pas?

Il la poussa avec brusquerie et, tombant à genoux sur le marchepied, elle se hissa instinctivement sur le siège :

— Laissez-moi partir! Vous n'avez pas le droit! Les agents... Il n'y a donc pas d'agents pour empêcher un...

— Ah! vous réclamez les agents... Eh bien, vous n'avez pas fini d'en voir!

Comme elle tentait de se glisser sur la banquette, vers l'autre portière, il la tira violemment en arrière de telle sorte qu'elle bascula contre lui, tandis qu'il actionnait le starter et, du revers de la main, il la gifla :

— Jamais encore je n'avais fait ça à une femme... mais vous n'êtes pas une femme!

La voiture démarra, se décolla du trottoir, partit à toute vitesse :

— Maintenant, que vous le vouliez ou non, vous allez

être obligée de me suivre. Et si je dois ralentir, m'arrêter, je ne vous conseille pas d'appeler ou de tenter quoi que ce soit, car ma main ne se fatiguera pas de vous taper dessus!

Elle se laissa aller contre le dossier de la banquette, comme à bout de forces, tandis qu'ils doublaient, l'une après l'autre, toutes les voitures roulant dans la même direction qu'eux. Un feu rouge les arrêta, mais elle ne chercha pas à renouveler ses précédentes tentatives et demanda simplement, d'une voix éteinte :

— Où m'emmenez-vous?

— Vous ne le savez pas, peut-être? Vous tombez des nues?

— Où... où *il* est?

— Ouais, où il est!

Il écrasa l'accélérateur sous son pied :

— Vous mériteriez d'être rouée de coups, pour avoir laissé un innocent aller à la mort, alors que, pour empêcher cela, il vous suffisait de vous présenter et de dire ce que vous saviez.

— Je me doutais bien que c'était ça, dit-elle d'un ton morne en regardant ses mains.

Après un moment, elle ajouta :

— C'est... c'est ce soir?

— Oui, ce soir!

A la clarté du tableau de bord, il vit ses yeux s'agrandir légèrement, comme si elle ne s'était pas rendu compte auparavant de l'imminence de la chose :

— Je... je ne savais que... c'était pour maintenant, balbutia-t-elle.

— Rassurez-vous! lui dit-il sèchement. A présent que je vous ai, ça ne sera pas pour maintenant!

Un autre feu rouge les arrêta et Lombard pesta à mi-voix, tout en s'essuyant le visage avec son mouchoir. Ils repartirent.

Elle gardait les yeux obstinément fixés devant elle, mais

il se rendait compte qu'elle ne regardait rien. Ce qu'elle voyait, c'était peut-être son passé et, maintenant, il n'y avait pas de bar, ni de bouteille, pour lui permettre d'échapper à cette vision. Elle était obligée d'y faire face, tandis que la voiture poursuivait sa course.

— Vous n'avez sûrement pas d'entrailles! lui lança-t-il à un moment donné. Vous devez être comme ces poupées dont le corps ne contient que de la sciure!

Alors, contre toute attente, elle riposta :

— Et ce qu'il m'a fait, à moi, vous n'y avez jamais pensé, hein ? Regardez-moi... Est-ce que je n'ai pas déjà suffisamment payé ? Pourquoi me soucierais-je de ce qui peut lui arriver, à lui ou à n'importe qui ? Que m'est-il, après tout ? Ils vont le tuer ce soir. Mais moi, j'ai déjà été tuée pour ça! Je suis morte, vous m'entendez, *je suis morte!* C'est une morte qui est assise près de vous!

Sa voix n'était ni gémissement, ni plainte; c'était le sourd grondement de la tragédie.

— Parfois, en rêve, je revois une femme qui habite une maison luxueuse, qui a un mari aimant, de l'argent, de belles choses, des amis qui l'estiment, et surtout un sentiment de sécurité... oui, la conviction que tout cela durera jusqu'à sa mort. Et je n'arrive plus à croire que cette femme, c'était moi...

Il regardait les ténèbres se ruer à l'assaut de la voiture, être pourfendues par la clarté des phares, et se refermer derrière eux. Lui aussi gardait les yeux obstinément fixés devant lui et c'est à peine s'il écoutait ce qu'elle disait :

— Savez-vous ce que c'est qu'être jetée à la rue ? Oui, littéralement jetée à la rue, à deux heures du matin, avec juste les vêtements que vous avez sur le dos... On referme les portes derrière vous et l'on dit à vos propres domestiques de ne plus jamais vous admettre dans la maison, sous peine de renvoi immédiat! Cette nuit-là, je l'ai passée tout entière sur un banc, dans la rue. Le lendemain, j'ai dû emprunter cinq dollars à mon ancienne femme de chambre, pour pouvoir trouver un abri et ne plus coucher dehors.

— Eh bien, à ce moment-là, pourquoi n'êtes-vous pas venue témoigner en sa faveur ? Puisque vous aviez déjà tout perdu, qu'est-ce que vous risquiez de plus ?

— Ce que je risquais ? Mon mari m'avait avertie que si j'ouvrais la bouche, si je déshonorais son nom ou le mêlais à un scandale, il me ferait enfermer dans un établissement pour alcooliques invétérés. Il l'aurait pu aisément, car il a de l'argent, de l'influence. Et je n'en serais jamais ressortie... la camisole de force... la douche glacée...

— Ça n'est quand même pas une excuse. Vous deviez savoir que nous vous recherchions, vous ne pouviez pas l'ignorer. Et vous laissiez cependant un innocent aller à la mort ! Mais si jamais encore vous n'avez fait une bonne action dans toute votre vie, et même si vous ne devez jamais plus en faire une autre, vous en accomplirez une ce soir ! Vous allez dire ce que vous savez et sauver Scott Henderson !

Elle demeura un long moment silencieuse, puis tourna lentement la tête :

— Oui, dit-elle enfin, oui, je suis prête à le faire, je le veux ! Je devais être aveugle pour ne pas m'être rendu compte plus tôt... Mais je crois que je n'avais jamais vraiment pensé à lui avant ce soir. Je ne pensais qu'à moi, à ce que j'avais perdu à cause de ces quelques heures... Mais je serai heureuse de faire enfin quelque chose de bien.

— Vous pouvez y compter, lui assura-t-il avec un rictus. A quelle heure l'avez-vous rencontré au bar, ce fameux soir ?

— A six heures dix. Nous avons regardé en même temps la pendule qui était en face de nous.

— Et vous allez leur dire ça ? Vous êtes prête à jurer que c'est vrai ?

— Oui, dit-elle d'une voix exténuée. Je le leur dirai. Je le jurerai.

— Que Dieu vous pardonne ce que vous avez fait à cet homme !

Alors, il sembla que quelque chose fondait en elle. Elle porta les deux mains à son visage déjà incliné et demeura ainsi, sans presque faire de bruit, mais toute secouée par la tourmente qui s'était déchaînée en son âme. Jamais il n'avait vu quelqu'un dans un pareil état. Il ne lui parla pas, ne la regarda pas, sauf dans le rétroviseur. Puis il se rendit compte que c'était fini. Elle laissa retomber ses mains et il l'entendit dire, semblant se parler à soi-même :

— On se sent comme purifiée, quand on se décide à faire une chose devant laquelle on reculait...

Et l'auto poursuivait sa course. Maintenant, ils ne doublaient presque plus de voitures : toutes venaient à leur rencontre, roulant vers la ville qu'ils avaient laissée derrière eux, et leurs lumières semblaient des comètes les oubliant dans leur sillage.

— Où allons-nous donc ? demanda-t-elle d'une voix morne.

— Je vous emmène directement au pénitencier. Pour éviter toutes les complications et les formalités qui pourraient nous retarder, nous allons droit au but.

— C'est vrai... c'est pour ce soir !

— Oui. L'exécution doit avoir lieu d'ici une heure, une heure et demie. Nous arriverons à temps.

Maintenant, ils roulaient dans la campagne boisée. Les troncs des arbres étaient enduits de blanc pour qu'on les repérât dans l'obscurité. Il n'y avait plus d'autre éclairage que celui des phares et, quand ils croisaient une voiture, celle-ci mettait les siens en code, comme pour les saluer au passage.

— Mais si quelque chose venait à nous retarder ? Un pneu crevé, que sais-je ? Ne vaudrait-il pas mieux téléphoner ?

— Je sais ce que je fais. Vous voilà bien anxieuse tout d'un coup.

— Oui, parce que je me rends compte du mal que j'ai fait et que j'ai hâte de le réparer.

— Quel changement! fit-il. Pendant cinq mois, vous n'avez même pas bougé le petit doigt pour lui venir en aide et, en moins d'un quart d'heure, vous voilà prête à tout pour le sauver.

— Oui, reconnut-elle docilement. D'un seul coup, plus rien d'autre ne me semble avoir d'importance. Je ne me soucie plus de mon mari, de ses menaces, ni de quoi que ce soit. Vous m'avez ouvert les yeux et tout m'apparaît différemment maintenant.

Elle passa une main sur son front, d'un geste dégoûté :

— Je veux faire au moins une fois preuve de courage. Je suis écœurée d'avoir été lâche toute ma vie!

Après cela, ils continuèrent à rouler en silence, jusqu'à ce qu'elle demandât avec un renouveau d'anxiété :

— Est-ce que ma déposition sous serment suffira pour le sauver?

— En tout cas, ce sera suffisant pour... retarder ce qui devait avoir lieu. Après quoi, les avocats se chargeront de tout ce qu'il restera à faire.

Soudain, elle remarqua qu'ils avaient tourné à gauche et quitté la route nationale. Les cahots devenaient plus fréquents et ils ne croisaient plus aucune auto. Tout semblait mort autour d'eux.

— Mais pourquoi passez-vous par là? La route où nous étions ne nous menait-elle pas à proximité de la Prison d'État?

— Si, mais nous prenons un raccourci. Pour gagner du temps.

Et le murmure du vent de chaque côté de la voiture sembla se faire plus intense, confiner au gémissement.

Quand il parla de nouveau, le regard toujours fixé droit

devant lui, le menton presque sur le volant, ce fut pour dire :

— Quand vous serez arrivée, vous serez sûrement moins pressée.

Alors, ils ne furent plus seuls dans la voiture. Une troisième présence était venue s'asseoir entre eux. La peur au suaire glacé, dont les bras entouraient la femme, resserrant lentement l'étreinte de ses doigts de marbre autour de la gorge contractée.

Ils ne parlaient plus. Les arbres fuyaient au bord de la route, comme des spectres noyés de brume, le vent hululait son avertissement qui arrivait trop tard. Et leurs visages reflétés dans le pare-brise, l'un près de l'autre, semblaient des masques mortuaires.

Il ralentit, manœuvra, et s'engagea dans un chemin qui était à peine mieux qu'un large sentier. La voiture dansait sur les inégalités du sol et un bruissement de feuilles mortes marquait leur passage, tandis que les phares se perdaient dans la profondeur du sous-bois, baignant certains arbres de clarté, mais laissant leurs voisins dans une ombre compacte. Cela rappelait certains contes où des enfants sont perdus dans un bois ensorcelé, un bois où il ne peut leur arriver que du mal.

— Mais... qu'est-ce que vous faites...? demanda-t-elle d'une voix étranglée.

Elle sentait sur sa nuque le souffle glacé de la peur qui l'enserrait dans son étreinte.

— Vous avez l'air tout drôle... Pourquoi passez-vous par ici?

Brusquement, il freina et la voiture s'immobilisa. Il coupa le contact et le silence fut total aussi bien autour qu'à l'intérieur de l'automobile. Plus rien ne bougeait, sinon les doigts de sa main droite qui pianotaient sur le volant.

Elle se tourna vers lui, avalant sa salive avec peine :

— Mais parlez, répondez-moi! Ne restez pas comme ça, sans rien dire. Pourquoi nous sommes-nous arrêtés? Pourquoi...

— Descendez, dit-il en accompagnant l'ordre d'un mouvement de menton.

— Non! Que voulez-vous faire?... Non!

Elle demeurait assise et le regardait, en proie à une terreur grandissante.

Étendant le bras devant elle, il ouvrit la portière de son côté :

— Je vous dis de descendre.

— Non! Vous voulez me faire quelque chose... Je le lis sur votre visage!

Il la poussa de force au dehors et, l'instant d'après, ils se retrouvèrent tous deux debout près de la voiture, enfoncés jusqu'aux chevilles dans la masse des feuilles mortes.

Il fit claquer la portière. Sous les arbres, régnaient une humidité pénétrante et une obscurité totale, sauf en avant, dans le tunnel de clarté que projetaient les phares.

— Venez par ici, dit-il calmement, en la prenant par le coude pour la forcer à le suivre.

Il l'entraîna en avant de la voiture, dans un bruissement de feuilles, et elle marchait de côté, regardant désespérément ce visage qui demeurait impénétrable.

Ils allèrent ainsi, comme dans une pantomime dont elle ignorait le thème, jusqu'au point où la clarté des phares perdait de sa force et était presque vaincue par les ténèbres. Là, il la lâcha et elle faillit tomber. Il la ressaisit, la redressa, puis, la lâchant de nouveau, lui offrit une cigarette. Elle voulut refuser, mais il en prit une et la lui mit dans la bouche. Puis il lui présenta du feu. On eût dit qu'il accomplissait un rite et, au lieu de la rassurer, ce geste redoubla la peur qui était en elle. Elle en tira une bouffée, puis la cigarette s'échappa de ses lèvres sans qu'elle pût la retenir.

Prudemment, il avança un pied pour l'écraser, à cause des feuilles.

— Bon, dit-il. Maintenant, regagnez la voiture. Marchez dans la clarté des phares et allez m'attendre dans la voiture. *Ne vous retournez surtout pas*, marchez droit devant vous.

Elle ne sembla pas comprendre, à moins que la terreur la paralysât. Il dut la pousser pour qu'elle se remît en mouvement et fît quelques pas en chancelant.

— Continuez à marcher tout droit, dans la clarté des phares, comme je vous l'ai dit, répéta la voix de celui qu'elle ne voyait plus. *Et ne regardez pas derrière vous.*

Comme c'était une femme, et une femme terrifiée, la recommandation agit à rebours sur elle et la fit se retourner.

Il ne l'avait pas encore amenée à hauteur de tir, mais il tenait déjà le revolver à la main.

Le cri qu'elle poussa fut comme celui d'un oiseau blessé, qui parvient encore à voleter un peu plus loin parmi les arbres, avant de s'abattre au sol, mort. Elle tenta de se rapprocher de lui, comme si c'était la seule chose qui pût la sauver, comme si elle ne courait de danger qu'en s'éloignant.

— Restez là ! commanda-t-il impitoyablement. C'était pour vous rendre la chose moins pénible que je vous avais dit de ne pas vous retourner.

— Mais *pourquoi ?* gémit-elle. Je suis prête à dire tout ce que vous voudrez. Je vous le promets ! Je vous le jure ! Je dirai tout !

— Non, justement. Je vais faire le nécessaire pour que vous ne le disiez pas. Ou alors, vous ne le direz qu'à lui, quand il vous rejoindra dans l'autre monde, d'ici une demi-heure.

Son bras s'était lentement relevé, braquant le revolver en position de tir. Elle faisait une cible magnifique dans la clarté des phares, et celle-ci était trop large pour qu'elle pût espérer avoir le temps de gagner les ténèbres salvatrices. Complètement affolée, elle pivota sur elle-même, se retrouva de nouveau face à lui. Et son cri perçant fut le contrepoint de la détonation qui se répercuta d'assourdissante façon sous le couvert des arbres.

Bien qu'elle fût seulement à quelques pas de lui, il avait dû la manquer. Elle ne sentait rien et aucune fumée ne s'échappait du canon qui la menaçait. Mais il ne lui était plus possible de raisonner, et elle demeurait là, incapable de courir ou de faire quoi que ce fût, vacillant sur place, comme un ruban dans le souffle d'un ventilateur électrique. Ce fut lui qui fit un pas de côté, allant à la rencontre d'un arbre proche, contre le tronc duquel il appuya son visage, comme honteux de ce qu'il venait de faire. Puis elle s'aperçut qu'il tenait une de ses mains crispée sur son épaule. Le revolver luisait dans la clarté des phares, sur un lit de feuilles mortes.

Un homme, surgi de derrière elle, s'élança vers lui en traversant la trouée de lumière. Elle vit que cet homme tenait aussi un revolver et que celui-ci était braqué sur la silhouette affaissée contre l'arbre. Au passage, il ramassa l'arme qui gisait parmi les feuilles puis, quand il rejoignit le blessé, quelque chose étincela près de leurs poignets, et elle entendit un bruit sec, comme celui d'une branche cassée.

Dans le pesant silence qui suivit, la voix de cet autre homme parvint jusqu'à elle :

— Je vous arrête pour le meurtre de Marcella Henderson !

Puis il porta quelque chose à ses lèvres, et l'appel funèbre d'un sifflet retentit longuement, avant que le silence se refermât de nouveau sur eux trois.

***

191

Elle était tombée à genoux parmi les feuilles mortes, le visage caché dans ses mains, le corps secoué de sanglots convulsifs. Burgess se pencha vers elle, avec sollicitude, et l'aida à se relever.

— Je sais, dit-il. Je sais, ç'a été terrible, mais maintenant, c'est fini. Vous avez réussi. Vous l'avez sauvé. Appuyez-vous sur moi... là... et pleurez un bon coup...

— Non... maintenant, ça va... je suis heureuse. C'est seulement parce que... parce que je ne croyais pas que quelqu'un arriverait à temps pour...

— Et c'eût été le cas si l'on s'était contenté de vous suivre, car il roulait à tombeau ouvert. Voyez...

Une seconde voiture venait de s'arrêter un peu plus loin dans un claquement de portières, et ses occupants ne les avaient pas encore rejoints.

— Mais je n'ai pas voulu courir de risques. J'étais avec vous, caché dans la malle arrière de sa voiture, depuis l'instant où vous êtes entrée dans la boutique. J'ai tout entendu.

Il éleva la voix, en voyant des torches électriques s'égarer dans le sous-bois :

— C'est vous, Gregory et les autres ? Ne perdez pas de temps. Remontez dans votre bagnole et roulez jusqu'au téléphone le plus proche. Appelez le bureau du District Attorney. Nous n'avons plus que quelques minutes. Je vous suis dans l'autre voiture. Dites-leur que je viens d'arrêter le nommé John Lombard, qui a avoué être l'assassin de Mrs. Henderson. Qu'on prévienne immédiatement...

— Vous n'avez pas la moindre preuve contre moi, lança Lombard d'une voix que la douleur fit gémir.

— Non ? Et quelle preuve de plus me faut-il ? Je viens de vous surprendre sur le point d'assassiner, de sang-froid, une jeune fille que vous ne connaissiez pas une heure auparavant. Quelle raison pouviez-vous avoir de la tuer, sinon qu'elle était la seule capable de sauver Henderson ? Et pourquoi vouliez-vous l'empêcher à tout prix de le sauver ?

Parce que cela eût déclenché une nouvelle enquête en rouvrant l'affaire, et que vous auriez pu être suspecté. Je n'ai pas besoin d'autre preuve pour vous accabler!

Un des policiers qui étaient venus avec Gregory les rejoignit :

— Vous avez besoin d'un coup de main?

— Oui, emportez cette jeune fille jusqu'à la voiture. Elle vient de subir une rude épreuve et a besoin qu'on s'occupe d'elle. Moi, je me charge du gars.

Le robuste policier la souleva dans ses bras, comme il eût fait d'une enfant.

— Qui est-ce? demanda-t-il par-dessus son épaule, tandis qu'il ouvrait le chemin en direction de la voiture, au bord de l'éblouissant tapis projeté par les phares.

— Une jeune personne extrêmement précieuse, répondit Burgess derrière lui, tout en tirant son prisonnier par les menottes. Aussi, faites bien attention à elle, marchez doucement. C'est la « Demoiselle » d'Henderson, Carol Richman, que vous tenez dans vos bras. Et il n'est pas d'homme plus brave qu'elle.

XIX

LE LENDEMAIN DE L'EXÉCUTION

Ils étaient réunis dans le living-room du petit appartement qu'habitait Burgess. C'était la première fois qu'ils se revoyaient depuis la levée d'écrou, et c'était Burgess qui avait combiné ça. Il avait dit à Carol :

— Pourquoi l'attendre devant la porte de la prison ? N'avez-vous pas assez vu ces tristes murs, tous les deux ? Venez donc chez moi et il vous y rejoindra.

Maintenant, ils étaient assis l'un près de l'autre, sur le canapé, dans le doux rayonnement de la lampe. Henderson la tenait par la taille et elle appuyait la tête contre son épaule.

Quand Burgess survint et les vit ainsi, il éprouva une bizarre contraction de la gorge.

— Alors, comment ça va, vous deux ? demanda-t-il d'un ton bourru, pour ne pas laisser paraître son émotion.

— Tout, absolument tout, me semble merveilleux, dit Henderson avec ravissement. J'avais presque oublié comme il pouvait être agréable de marcher sur un tapis, d'avoir un éclairage tamisé, de s'appuyer sur un coussin... Mais le plus merveilleux, c'est ça, ajouta-t-il en caressant la tête de Carol avec son menton. Et c'est tout à moi !

Burgess et la jeune fille échangèrent à la dérobée un regard plein de compassion.

— J'arrive de chez le District Attorney, dit le policier. Ils ont fini par obtenir de lui des aveux complets, signés, et tout.

— Je n'en reviens pas, dit Henderson, en secouant la tête. J'ai encore peine à le croire. Qu'est-ce qui l'a poussé à faire ça ? Était-il amoureux de Marcella ? Mais, autant que je sache, ils ne s'étaient vus que deux fois...

— Autant que vous sachiez, oui.

— Vous voulez dire que ça s'était fait à mon insu ?

— N'aviez-vous pas remarqué qu'elle sortait beaucoup ?

— Si, mais je n'y attachais aucune importance, puisque nous n'étions plus désormais que deux êtres vivant dans le même appartement.

Burgess fit un pas ou deux à travers la pièce et revint vers le canapé :

— Oui, ça s'est passé derrière votre dos, Henderson. Mais, avant tout, je peux vous dire que cette liaison-là était à sens unique. Votre femme n'était aucunement éprise de Lombard. Sinon, elle serait très probablement encore en vie aujourd'hui. Mais c'était une femme n'aimant que soi-même, recherchant l'admiration, la flatterie. Elle était de celles qui ont plaisir à flirter et à séduire les hommes sans avoir la moindre intention d'aller plus loin. C'est un jeu inoffensif avec neuf hommes sur dix, mais qui devient dangereux avec le dixième. Aux yeux de votre femme, Lombard n'était que quelqu'un avec qui sortir, et un moyen de vous rendre la monnaie de votre pièce, en se prouvant à soi-même qu'elle n'avait pas besoin de vous. Malheureusement, Lombard était aussi le dixième homme, celui avec qui il ne faut pas jouer ce petit jeu-là. Il avait passé une grande partie de sa vie autour des puits de pétrole, dans des bleds perdus, et il n'avait guère d'expérience en ce qui concernait les femmes. Quand on parlait d'amour, il n'avait plus le moindre sens de l'humour, il prenait tout au sérieux. Et, bien entendu, elle, ça l'amusait encore plus, car ça donnait à la chose un piment supplémentaire.

« Il est absolument certain qu'elle l'a fait marcher, et jusqu'à la dernière minute. Elle l'a laissé faire des projets d'avenir dont elle était le centre, tout en sachant parfaitement qu'elle l'abandonnerait. C'est en pensant vivre là-bas avec elle qu'il signa ce contrat de cinq ans pour l'Amérique du Sud. Il avait même retenu et fait meubler *leur* bungalow. Elle devait divorcer d'avec vous dès qu'ils seraient arrivés là-bas, et se remarier avec lui. Un homme de son âge, qui n'est plus un enfant, déteste qu'on le fasse marcher. D'autant qu'elle avait agi de la façon la plus odieuse qui soit. Au lieu de préparer progressivement la rupture, de lui laisser une chance de s'en remettre, elle avait continué à lui jouer la comédie. Tout cela, parce qu'elle voulait profiter le plus longtemps possible de ses coups de téléphone énamourés, de leurs déjeuners, de leurs dîners, de ses baisers dans un taxi. Elle avait besoin de tout ça pour être heureuse et satisfaite. Elle s'y était habituée et ça lui aurait manqué. C'est pourquoi elle remettait sans cesse à plus tard de désillusionner Lombard. *Elle attendit ainsi jusqu'au soir même où ils devaient s'embarquer tous les deux pour l'Amérique du Sud.* Elle attendit jusqu'au moment où il vint la chercher pour la conduire au bateau... dès que vous fûtes parti.

« Je ne suis pas surpris qu'elle y ait laissé la vie. C'est le contraire qui m'aurait étonné. Lombard a dit qu'il était arrivé alors que vous étiez encore là et qu'il avait attendu sur le palier du dessus, jusqu'à ce que vous partiez en claquant la porte. La malchance voulut qu'il n'y eût personne de garde dans le hall, ce soir-là, parce que le portier venait d'être mobilisé et qu'on n'avait pas encore pourvu à son

remplacement. De la sorte, personne ne le vit arriver ni
— nous le savons — repartir. Il sonna, elle vint lui ouvrir,
puis retourna s'asseoir devant la coiffeuse. Quand il lui
demanda si ses bagages étaient terminés, si elle était prête
à partir, elle lui rit au nez. Pour elle, il semble que ç'ait
été le jour de se moquer des gens. Elle lui demanda s'il
avait sérieusement cru qu'elle irait s'enterrer en Amérique
du Sud, en brûlant tous les ponts derrière elle, pour, après
ça, se trouver à sa merci s'il lui prenait la fantaisie de ne
plus l'épouser? Et en vous laissant libre, vous, de convo-
ler? Non, sa situation actuelle ne lui déplaisait pas du tout
et elle n'allait pas lâcher la proie pour l'ombre.

« Mais, plus que tout, ce fut son rire qui détermina le
drame. Si elle avait pleuré en lui disant tout cela ou si, à
tout le moins, elle l'avait fait avec gravité, Lombard pense
qu'il serait reparti et qu'il se serait saoûlé à rouler sous la
table, mais qu'il l'aurait laissée vivante derrière lui. Et je le
crois, moi aussi.

— Mais il l'a tuée, dit Henderson.

— Mais il l'a tuée. Votre cravate gisait encore par terre,
où vous l'aviez laissée tomber, derrière le tabouret de la
coiffeuse. Il avait dû la ramasser machinalement à un
moment donné, car il la trouva entre ses mains quand la
rage le saisit...

— Je ne puis m'empêcher de le comprendre un peu,
dit Carol à mi-voix en regardant le plancher.

— Moi aussi, reconnut Burgess. Mais ce qu'il fit ensuite
n'a pas d'excuse. Il a tout mis en œuvre pour que son ami
de toujours soit reconnu coupable et expie à sa place.

— Que lui avais-je donc fait? demanda Henderson,
sans la moindre rancœur dans la voix.

— Eh bien, c'est aussi simple que tragique. Il ne comprit pas alors — et il ne le comprend toujours pas — pourquoi elle agissait ainsi et le rejetait aussi cruellement hors
de sa vie. Il ne se rendit pas compte que cette attitude

était en parfait accord avec le caractère de Marcella, qu'elle était ainsi faite. Il pensa, au contraire, que cela provenait d'un regain d'amour qu'elle avait pour vous. Dès cet instant, il vous rendit responsable de tout et voulut se venger de vous. Et, bien qu'il l'eût tué de ses mains, la mort de l'être aimé, convoité, poussa cette jalousie à son paroxysme.

Henderson hocha lentement la tête tandis que Burgess continuait :

— Il sortit de l'immeuble sans être vu et se lança sur vos traces. Tandis qu'il attendait sur le palier, il avait perçu les échos de votre dispute. Il estima avoir là une possibilité de tout vous mettre sur le dos, dont il devait profiter. Il nous a raconté que sa première idée était de vous rejoindre en faisant mine de vous rencontrer par hasard. Il vous aurait dit : « Hello ! Comment va ? Je croyais que tu devais sortir avec ta femme ? » Et, tout naturellement, vous auriez répondu : « Juste avant de sortir, j'ai eu une terrible dispute avec elle. » Pour son plan, il était nécessaire que vous parliez de cette dispute, car il n'aurait pu, ultérieurement, y faire allusion sans se compromettre lui-même. S'il racontait en avoir perçu les échos, c'était reconnaître qu'il se trouvait alors dans l'escalier, donc à proximité immédiate du lieu du crime. Mais, ainsi, il aurait pu dire que vous lui aviez avoué vous être disputé avec la victime.

« Après quoi, il aurait veillé à ce que vous vous enivriez suffisamment — en admettant que vous ayez besoin qu'on vous y encourageât ! — puis, en bon copain, il vous aurait raccompagné jusque chez vous. Ainsi il aurait été présent lorsque vous auriez fait la tragique découverte. De la sorte, il ne pouvait manquer d'être interrogé par la police et, comme malgré lui, il aurait dit que vous lui aviez avoué avoir eu une terrible dispute avec votre femme, juste avant de sortir. Et, de ce fait, il devenait pratiquement insoupçonnable. Il n'était qu'un ami ayant rencontré accidentellement le mari de la victime, et l'ayant raccompagné chez lui parce qu'il avait trop bu. Il nous a raconté tout cela de lui-même et, je dois dire, sans manifester le moindre remords.

— Charmant, fit Carol, d'un air sombre.

— Il pensait vous trouver seul et savait déjà que vous deviez aller dans deux endroits, ce soir-là. Quand vous l'aviez rencontré, dans l'après-midi, vous lui aviez dit que vous emmèneriez votre femme dîner à la *Maison Blanche*, avant d'aller au Casino. Du bar, il ne pouvait pas être au courant, puisque, avant d'en avoir franchi le seuil, vous-même ignoriez que vous y entreriez.

« Il alla donc directement à la *Maison Blanche* et s'embusqua dans un coin du foyer. C'est ainsi qu'il vous vit arriver, mais accompagné. Cela changeait tout. Non seulement il ne pouvait plus vous aborder avec l'espoir que vous lui raconteriez vos dissensions conjugales, mais l'inconnue qui vous accompagnait pouvait même être en mesure d'établir votre innocence, si vous l'aviez rejointe peu après être sorti de chez vous. Dès cet instant, il comprit toute l'importance que cette femme avait, aussi bien pour vous que pour lui, et c'est ce qui lui dicta sa conduite.

« Il ressortit et s'éloigna un peu, de façon à ne pas courir le risque d'être vu, tout en ayant la possibilité de surveiller la porte du restaurant. Il savait que vous aviez projeté d'aller ensuite au Casino, mais vous aviez pu modifier l'ordonnance de votre soirée, et il lui fallait une certitude.

« Quand il vous vit ressortir et prendre un taxi, il vous suivit dans un autre taxi. Il vous suivit même *à l'intérieur* du théâtre en prenant une place de promenoir, et vous épia pendant toute la soirée.

« A la sortie, il faillit vous perdre dans la foule, mais la chance était avec lui. Le seul incident qui lui échappa fut celui de l'aveugle.

« Continuant sa filature, il vous attendit aux abords de

chez *Anselmo,* sans savoir toutefois que ce bar était le pivot de votre alibi. Il vous vit repartir en laissant là votre compagne et cela eût suffi à lui faire comprendre — si ça n'était déjà fait — que vous aviez agi comme vous l'aviez annoncé à votre femme, avant de quitter l'appartement, et invité la première femme que vous aviez rencontrée. Il lui fallait choisir rapidement : la suivre ou vous suivre. Il n'hésita pas longtemps et son instinct lui indiqua le bon choix. A ce moment-là, s'il vous avait rejoint, au lieu de l'aider à vous incriminer, ça risquait d'attirer les soupçons sur lui, car le bateau sur lequel il avait retenu une cabine quittait le port à la même heure. On aurait trouvé bizarre que Lombard errât par les rues et vous raccompagnât jusque chez vous, alors qu'il aurait dû être à bord. Il vous laissa donc filer et attendit la femme, avec l'espoir de découvrir dans quelle mesure elle pourrait vous être utile et lui nuire.

« Bien entendu, quand elle sortit enfin, il se garda de l'aborder, voulant, avant tout, apprendre son identité et son adresse. Après quoi, il tâcherait d'établir si elle avait la possibilité de vous innocenter, en reconstituant son emploi du temps au cours de la soirée et en s'efforçant de découvrir où — et surtout à quelle heure — vous l'aviez rencontrée. Alors, si elle était en mesure de vous fournir un alibi, il rejoindrait la dame, verrait s'il pouvait ou non la persuader de se taire et, dans la négative, s'assurerait définitivement de son silence. Un second crime pour ne pas courir le risque d'être soupçonné du premier.

« Bien qu'il fût tard, pour quelque raison, la dame partit à pied. Lombard n'en eut que plus de facilité pour la suivre. Il pensa tout d'abord qu'elle devait habiter dans le voisinage, mais, l'un derrière l'autre, ils finirent par couvrir ainsi une longue distance. Il se demanda alors si elle ne s'était point aperçue qu'il la suivait et ne s'employait pas à l'égarer. Mais, il ne tarda pas à se convaincre que ça n'était sûrement pas le cas. La dame ne cherchait pas à le semer; on aurait même pu dire qu'elle flânait, s'arrêtant pour caresser un chat ou pour jeter un coup d'œil à une vitrine obscure. Elle se promenait visiblement au hasard des rues, sans but. Pourtant, elle était trop bien habillée pour qu'on pût la supposer sans logis. Déconcerté, Lombard ne savait qu'en conclure.

« A un moment donné, elle s'assit sur un banc, près de la statue du général Sherman, comme s'il avait été trois heures de l'après-midi. Elle remonta la 59ᵉ Rue, s'intéressant aux étalages, à peine visibles, des antiquaires, puis, enfin, alors que Lombard commençait à croire qu'elle allait traverser le pont de Queensborough pour gagner Long Island à pied, elle entra brusquement dans un sordide petit hôtel, au bout de la 59ᵉ Rue. L'observant à travers la porte vitrée, il la vit signer le registre d'arrivée et en conclut, très justement, que cet arrêt était tout aussi improvisé que les méandres de la longue promenade.

« Dès qu'elle eut disparu dans l'escalier, Lombard entra à son tour et demanda lui-même une chambre, ce qui lui permit de lire sur le registre le nom de la dame et le numéro de sa chambre, 214. Il parvint à occuper lui-même la chambre 216, en trouvant quelque chose à redire aux deux ou trois autres qu'on lui montra d'abord. Comme l'hôtel aurait eu grand besoin de réparations, un peu partout, il n'avait que l'embarras du choix pour justifier ses refus.

« Il resta un moment dans sa chambre, pour s'assurer qu'elle se couchait. A travers la mince cloison, il ne perdit rien de ses mouvements, l'entendit faire cliqueter les cintres en accrochant ses vêtements, et fredonner le refrain de la revue, *Chica Chica Boom*, puis il perçut le déclic du commutateur, le grincement du sommier. En ouvrant sa propre fenêtre, il se rendit compte qu'elle donnait sur une cheminée d'aération et qu'il pourrait aisément gagner la fenêtre voisine en se cramponnant à un tuyau d'écoulement. A son retour, il lui faudrait peut-être se livrer à cette gymnastique.

« Sachant la dame en place pour la nuit, Lombard ressortit alors. Il était près de deux heures du matin.

Il prit un taxi pour retourner chez *Anselmo*. C'était l'heure morte et il lui fut facile d'entamer la conversation avec le barman, par une question du genre : « Quelle était cette femme, avec un chapeau orange, que j'ai vue, il y a un moment, assise toute seule au comptoir ? » Les barmen sont loquaces de nature, et il n'en fallut pas plus pour lancer celui-là. La dame était déjà au bar vers six heures, puis elle était partie avec un type qui l'avait ramenée là.

« Quelques questions adroitement posées permirent à Lombard d'apprendre ce qui l'intéressait au plus haut point : la rencontre avait eu lieu quelques minutes seulement après six heures. Autrement dit, ses pires craintes se réalisaient et cette femme était en mesure de vous innocenter totalement. Des mesures immédiates s'imposaient... Est-ce que je ne vous ennuie pas, à vous raconter tout cela par le détail ? » demanda Burgess en s'interrompant.

— Non, répondit Henderson. Ça m'attriste seulement. Continuez.

— Lombard ne perdit pas de temps. Avec un barman, il pouvait y aller franchement. Ces gens-là sont habitués à en voir de toutes sortes. « Combien vous faudrait-il pour oublier que cette femme a rencontré ce type ici ? Lui, vous n'avez pas besoin de l'oublier : seulement *elle*. » Le barman laissa entendre que ça ne lui coûterait pas trop. « Même si c'était la police qui vous interrogeait ? » Là, le barman devint plus hésitant. Mais Lombard avait beaucoup d'argent sur lui, puisqu'il devait s'embarquer ce soir-là. Il fit voir un billet de *mille dollars* au barman qui était loin d'espérer une telle somme, et l'homme ne résista pas. Lombard cimenta l'accord en menaçant son interlocuteur de choses bien précises, s'il manquait à sa parole. Le barman comprit que l'autre ne plaisantait pas et se le tint pour dit.

« Nous avons pu constater l'effet de ces menaces sur les différents témoins que Lombard contacta. Il avait toujours mené une vie assez primitive et, quand il menaçait, son accent ne trompait pas.

« S'étant ainsi assuré la complicité du barman, Lombard passa aux autres témoins. A cette heure de la nuit, le restaurant et le théâtre étaient fermés, mais il parvint à obtenir des renseignements sur les gens qui l'intéressaient et à les dénicher chez eux. A quatre heures du matin, il avait fermé le cercle en achetant le silence du chauffeur de taxi Alp, du maître d'hôtel de la *Maison Blanche*, et de l'homme du contrôle au Casino. Le chauffeur n'aurait qu'à nier simplement avoir vu la femme. Le maître d'hôtel reçut une somme plus importante, afin d'en ristourner une partie au serveur qui, d'ailleurs, dépendait entièrement de lui pour conserver son emploi. Quant à l'employé du théâtre, il l'acheta si bien qu'il s'en fit pratiquement un allié. Ce fut celui-ci qui lui rapporta avoir entendu un des musiciens de l'orchestre se vanter, après le spectacle, d'avoir fait une touche avec la dame en question. Lombard ne put joindre le musicien que le lendemain soir, mais sa chance voulut que nous négligions complètement d'interroger les gens de l'orchestre, si bien que ce retard n'eut aucune importance pour lui.

« Nous le retrouvons donc, une heure avant l'aube, ayant réussi à effacer toute trace du passage de la femme dans les différents lieux où elle vous avait accompagné. Il retourna donc à l'hôtel où il l'avait laissée et il a avoué que, à ce moment-là, sa décision était prise. Cette femme représentant un trop grand danger pour lui, plutôt que d'acheter son silence, il allait se l'assurer par la mort. De la sorte, à supposer que l'un des témoins flanchât et le trahît, la preuve même qui aurait pu vous innocenter serait supprimée.

« De retour dans sa chambre, il resta un long moment à réfléchir dans l'obscurité. Il se rendait compte que, dans cette seconde affaire, il serait très probablement suspecté, mais ce serait un inconnu que l'on suspecterait, car il avait signé le registre d'un nom d'emprunt. Il avait l'intention de rattraper son bateau par la voie des airs et, jamais plus il ne reviendrait dans ces parages. Dès lors, quel risque courrait-il d'être identifié?

« Sans plus hésiter, il ouvrit sa fenêtre et passa sur le rebord de la fenêtre voisine, dont le panneau inférieur était entr'ouvert. Il le souleva et se glissa à l'intérieur de la chambre, se mouvant avec précaution au sein de l'obscurité. Il n'avait emporté aucune arme, ayant l'intention de se servir uniquement de ses mains et des couvertures. A tâtons, il parvint jusqu'au lit et se jeta brusquement dessus, pour éviter que la femme eût le temps de pousser le moindre cri. Mais la masse tourmentée des draps et couvertures s'affaissa sous lui : le lit était vide. La femme n'était plus là. Elle avait repris sa marche errante, après s'être reposée un moment. Deux bouts de cigarette, quelques grains de poudre sur la tablette du lavabo, et ce lit froissé où quelqu'un avait dormi, voilà tout ce qu'elle avait laissé comme traces de son passage.

« Quand il fut remis du choc que lui avait causé cette découverte, Lombard descendit au bureau de l'hôtel et demanda plus ou moins ouvertement après la femme. On lui dit qu'elle était descendue, peu avant qu'il rentrât, avait rendu sa clef et était partie aussi posément qu'elle était venue. On ne sut lui dire ni de quel côté, ni où, ni pourquoi, mais seulement qu'elle s'en était allée.

« Et voilà que son propre jeu se retournait contre lui. La femme qu'il avait passé sa nuit et dépensé des centaines de dollars à transformer en fantôme pour vous, était aussi devenue un fantôme pour *lui*. Or ça n'était pas du tout ce qu'il avait voulu. Cette incertitude était infiniment dangereuse, car la femme pouvait à tout moment reparaître et se manifester en votre faveur.

« Il lui restait encore du temps avant le départ de l'avion qu'il lui fallait prendre s'il voulait rattraper son bateau, et il l'employa à rechercher désespérément cette femme. La journée suivante, puis la nuit, s'écoulèrent sans qu'il obtînt un résultat. Il dut quitter New York avec cette menace suspendue au-dessus de sa tête.

« Par la voie des airs, il rejoignit son bateau à la Havane, le troisième jour après le crime, racontant qu'il avait manqué le départ à la suite d'un trop bon dîner.

« Et ceci vous explique pourquoi il a répondu si promptement à l'appel au secours que je lui ai envoyé en votre nom. C'était l'excuse qu'il attendait pour revenir ici. Grâce à vous, il allait pouvoir reprendre la chasse au fantôme, et *la* rechercher ouvertement, veiller personnellement à ce qu'on ne la retrouve que morte. »

— Vous le suspectiez déjà quand vous êtes venu me trouver dans ma cellule, et m'avez incité à lui faire envoyer ce câble ?

— Je ne saurais dire exactement à quel moment j'ai commencé à le suspecter. Ça s'est fait insensiblement, à mesure que je me mettais à douter de votre culpabilité. D'un bout à l'autre de l'affaire, il n'y avait absolument rien de précis contre lui, et c'est pourquoi j'ai dû opérer de façon détournée. Il n'avait laissé aucune empreinte dans l'appartement, ayant sans doute essuyé tout ce qu'il avait pu toucher. Je me souviens que nous avons trouvé plusieurs boutons de porte absolument vierges de toute empreinte. Au début, il n'était donc qu'un nom, mentionné incidemment par vous au cours de votre interrogatoire. Le nom d'un vieil ami qui vous avait invité à passer une dernière soirée avec lui et dont, à votre grand regret, vous aviez dû décliner l'invitation, à cause de votre femme. Par routine, je fis faire une petite enquête à son sujet, mais surtout pour qu'il pût nous renseigner sur vous et, peut-être, combler quelques lacunes. J'appris ainsi qu'il avait quitté New York, comme vous nous l'aviez dit, mais la compagnie maritime précisa qu'il avait manqué le départ et rejoint le bateau à la Havane. Elle m'apprit aussi qu'il avait primitivement retenu *deux* places, pour lui et pour sa femme, mais qu'il avait finalement voyagé seul. Or, vous m'aviez dit qu'il était célibataire et, quand j'approfondis la question, je ne trouvai aucune trace d'un mariage récemment célébré.

« Toutefois, il n'y avait rien là de bien étrange. Il arrive que l'on manque le départ d'un bateau, surtout après un dîner trop copieusement arrosé. Et la femme que l'on comptait épouser peut changer d'avis à la dernière minute... à moins que la date du mariage n'eût été, d'un commun accord, reportée aux prochaines vacances.

« Je n'y attachai donc pas une importance particulière, mais ces petits détails demeurèrent présents à mon esprit et, quand je fus finalement convaincu de votre innocence, Lombard se trouva tout naturellement être le suspect que je vous substituai.

— Et vous ne m'avez rien laissé deviner de tout cela! dit Henderson.

— J'étais obligé de me taire, car je n'avais aucun fait précis et, en me confiant à vous, j'aurais couru un grand risque. Très probablement, vous n'auriez pas partagé mes sentiments à l'égard de Lombard et peut-être l'amitié que vous aviez pour lui vous aurait-elle incité à le mettre au courant de mes soupçons? Ou, même si vous aviez partagé mes vues, le fait d'être au courant vous aurait empêché de jouer votre rôle avec conviction. Lombard aurait pu déceler quelque contrainte dans votre attitude, qui l'aurait automatiquement mis sur ses gardes. J'ai donc préféré me servir de vous, comme l'on peut se servir d'un médium, c'est-à-dire *à travers* vous, sans que vous puissiez savoir le but que je visais. Et ça n'a pas été facile. Pour le coup des programmes, par exemple...

— Oui, j'aurais pu penser que vous étiez devenu fou — et je l'aurais pensé, si j'avais été dans mon état normal — à voir avec quelle minutie vous me faisiez répéter les gestes que je devrais faire, les paroles que je devrais prononcer à cette occasion. Savez-vous ce que j'ai cru? Que vous m'obligiez à cela pour occuper mon esprit, pour m'empêcher de penser que l'heure fatale approchait. Et je vous ai docilement obéi, comme on prend un remède. Mais, dites-moi, Lombard a-t-il été pour quelque chose dans les incidents étranges qui intervinrent, chaque fois que vous sembliez sur le point d'arriver à un résultat?

— Bien sûr! Mais le plus curieux, c'est que la mort de Clif Milburn, celle qui ressemblait le plus à un meurtre, était bel et bien un suicide, comme nous avons pu l'établir avec certitude par la suite. La mort du barman, elle, a été purement accidentelle. En revanche, les deux autres, qui avaient toutes les apparences d'accidents, étaient des meurtres, mais des meurtres commis sans armes... du moins, sans ce qu'on appelle ordinairement une arme.

« Commençons par le faux aveugle. Lombard l'avait quitté pour quelques instants, prétendant aller me passer un coup de fil au téléphone le plus proche. Il s'était rendu compte que ce faux infirme, vivant de la mendicité, appréhendait vivement tout rapport avec la police. Il se doutait que, dès qu'il l'aurait laissé seul, l'autre chercherait à s'enfuir au plus vite, et c'est là-dessus qu'il misa.

« A peine sorti de la chambre, il tendit un solide fil ciré, à hauteur de cheville, en travers de la plus haute marche de l'escalier. D'un côté, il l'attacha à un barreau de la rampe et, de l'autre, à un vieux clou qui saillait dans le mur. Puis il éteignit la lumière, sachant bien que le prétendu aveugle avait l'usage de ses yeux. Après quoi, il fit mine de descendre l'escalier, en frappant la dernière marche de plus en plus légèrement (le vieux truc), et s'embusqua sur le palier inférieur.

« Le mendiant sortit précipitamment de sa chambre, pour s'enfuir avant que Lombard revînt avec le policier de ses amis, dont il lui avait parlé. Le fil cassa sous le choc, mais il avait suffi à le faire basculer dans le vide. La chute ne tua pas le mendiant, mais le laissa comme assommé et il s'en serait probablement tiré avec une grosse bosse, si Lombard n'avait été là pour achever son forfait.

« Enjambant l'homme inanimé, il commença par remonter vivement l'escalier, pour détacher les morceaux de fil accusateurs. Puis il revint examiner le corps sans connaissance. Dans la chute, la tête s'était relevée contre le mur et Lombard n'eût qu'à forcer un peu, pour lui rompre les vertèbres du cou... »

Burgess s'interrompit en voyant Carol détourner le visage avec un geste horrifié :

— Je m'excuse, dit-il.

— Non, répondit-elle en le regardant de nouveau, ça fait partie de l'histoire, et il faut que nous sachions tout.

— Ensuite seulement, il sortit pour me téléphoner. Il eut l'habileté suprême de faire appel à un policeman pour surveiller la maison et de rester avec lui jusqu'à ce que j'arrive.

« Bien sûr, cette mort accidentelle qui se produisait si mal à propos pour nous — mais à point nommé pour l'assassin — renforça mes soupçons à l'égard de Lombard. Seulement, je n'avais aucune preuve. Il me fallait continuer à faire l'idiot et attendre. »

— En revanche, vous dites que le musicien, le fumeur de marihuana, s'était bien suicidé ?

— Oui, il s'est ouvert la gorge, dans un moment de dépression, vaincu par la terreur. La lame Gillette avait dû être laissée sous le papier de l'étagère, par un précédent locataire ou un ami de Milburn qui avait eu l'occasion d'utiliser sa salle de bains pour se raser. Ce sont les menaces de Lombard qui ont tué Milburn, mais non pas Lombard lui-même.

— Et Mrs. Douglas? demanda Henderson.

— Là, Lombard se montra encore plus habile que pour l'aveugle. Sur le parquet parfaitement ciré, il y avait un long tapis qui partait du seuil du living-room pour aboutir à la porte-fenêtre. Il le sentit glisser légèrement sous ses pieds en marchant dessus, et ce fut ce qui lui mit l'idée en tête. De l'œil, il calcula les distances et, mentalement, repéra l'endroit où, si elle perdait l'équilibre, Mrs. Douglas aurait le maximum de chances de basculer par la fenêtre ouverte.

« Il ne s'agit point là d'une hypothèse de ma part. Tout cela a été consigné, noir sur blanc, d'après la déposition de Lombard lui-même. Après quoi, il y eut comme un petit ballet de mort, dansé par lui, avec Mrs. Douglas comme partenaire. Quand il eut fini de rédiger le chèque, il se leva et se dirigea vers la fenêtre en l'agitant, comme pour faire sécher l'encre plus rapidement. Il s'arrêta près du tapis, à côté de l'endroit où il voulait que Mrs. Douglas vînt se placer. Il lui tendit alors le chèque pour l'attirer exactement, comme dans une corrida, le torero agite la cape pour inciter le taureau à se placer où il souhaite l'amener. Quand elle fut à l'endroit voulu, il lui abandonna le chèque. Tout naturellement, elle resta sur place, n'ayant rien de plus pressé que d'examiner le chèque, pour s'assurer qu'il était bien tel qu'elle le désirait.

« Alors, comme s'il partait brusquement, il s'éloigna en quelques rapides enjambées et, saisissant le tapis à deux mains, il l'éleva d'un seul coup au-dessus de sa tête. Il n'eut pas à en faire davantage. Il nous a dit qu'elle n'avait même pas eu le temps de crier et que, le souffle coupé par la surprise, elle avait basculé par la fenêtre en ne laissant derrière elle que son petit soulier argenté. »

Carol porta les deux mains à ses tempes :

— Mon Dieu! cela paraît encore plus abominable qu'une mort causée à l'aide d'un couteau ou d'un revolver. Tous ces calculs sournois, cette hypocrisie...

— Oui, mais un crime comme celui-là est beaucoup plus difficile à prouver devant un jury. Songez que Lombard n'avait même pas touché Mrs. Douglas. Cependant, le tapis l'a trahi. Je m'en suis rendu compte dès mon entrée dans la pièce. Les plis étaient de mon côté, alors que, vers la fenêtre, le tapis avait reculé, mais était demeuré parfaitement égal. Or, si Mrs. Douglas avait réellement glissé et perdu l'équilibre, c'eût été exactement le contraire : les plis auraient été de son côté, tandis que l'autre extrémité n'aurait même pas bougé, vu la grande longueur du tapis.

« Après cela, la cigarette qui brûlait encore n'avait aucune chance de m'abuser. C'était une cigarette qu'elle avait allumée, puis éteinte après en avoir tiré une ou deux bouffées, alors qu'elle s'entretenait avec lui. Son crime commis, il eut l'idée d'emporter cette cigarette éteinte, dont une extrémité portait des traces du rouge à lèvres de Mrs. Douglas. Il la ralluma avant que je le rejoignisse devant la porte de l'appartement, la dissimula un instant dans sa poche, puis la jeta derrière mon dos, quand je me dirigeai vers la fenêtre. Il avait calculé que, à cause du tapis froissé, cette fenêtre ouverte m'attirerait irrésistiblement, avant que je songe à regarder autour de moi. De fait, en entrant dans la pièce, je n'aurais sûrement pas remarqué la cigarette, si elle avait été là... mais, je le répète, ce que j'avais constaté par ailleurs eût suffi à empêcher qu'elle m'abusât, même si je n'avais déjà suspecté Lombard.

« Seulement, Mrs. Douglas était tombée en emportant le chèque dans sa chute. Comme il eût paru peu probable qu'elle fût restée longtemps à se promener avec ce chèque à la main, il ne fallait pas que Lombard s'attardât au dehors, sinon ce détail aurait pu me paraître bizarre et éveiller mes soupçons. C'est pourquoi il prétendit qu'elle lui avait indiqué cette adresse de Flora, qui se révéla être la chienne des pompiers, à la caserne voisine. De sorte, nous n'avions aucune raison de perdre du temps. La femme nous avait menti et nous revenions en hâte lui demander des explications.

« Mais cela nuisit singulièrement à la vraisemblance de l'histoire qu'il voulait me faire avaler. Pourquoi Mrs. Douglas lui aurait-elle indiqué une adresse aussi proche, si elle avait voulu le jouer ? Pour que cela lui permît d'encaisser le chèque, et de disparaître, il aurait fallu qu'elle l'envoyât loin de New York, et non point à quelques centaines de mètres de chez elle.

« A part cela, il avait bien manœuvré, feignant, à l'arrivée du liftier, de parler à la dame dans l'entrebâillement de la porte, et s'arrangeant — vous savez, on pousse, puis on tire, presque en même temps — pour que celle-ci semble se refermer derrière lui, alors qu'il s'en était déjà éloigné.

« Je suis cependant à peu près sûr que j'aurais pu le faire condamner pour le meurtre de Pierrette Douglas. Mais on n'en aurait pas nécessairement conclu qu'il avait tué votre femme. Il aurait même pu dire qu'il avait tué Mrs. Douglas, dans un accès de rage, parce qu'elle lui refusait l'adresse de la femme qui pouvait vous sauver. Donc, comme précédemment, je continuai à faire l'idiot, mais je décidai de l'inciter à commettre une nouvelle tentative de meurtre... sur quelqu'un que nous surveillerions. »

— Mais pourquoi avoir choisi Carol ? Si j'avais su cela avant, jamais vous n'auriez pu me convaincre de lui jouer la comédie du paquet de cigarettes vide...

— Cette idée, c'est Miss Richman qui l'a eue. Moi j'avais déjà engagé une femme pour servir d'appât. Mais Miss Richman, informée par les journaux, vint nous déclarer qu'elle entendait livrer cette bataille et précisa qu'elle le ferait, même si je n'étais pas d'accord. Je ne pouvais pas m'y opposer et, d'autre part, il ne fallait pas que deux femmes se présentassent avec un même programme corné. Je cédai donc, et Miss Richman passa entre les mains du maquilleur, qui devait donner à notre appât un aspect correspondant à la prétendue histoire de sa déchéance.

— Vous pensez bien, s'exclama Carol avec chaleur, que je n'allais pas courir le risque de voir tout gâcher par cette femme qui, n'ayant d'autre intérêt en cette affaire que quelques dollars à toucher, n'aurait sans doute pas joué son rôle avec la conviction nécessaire. Il n'y avait plus de temps à perdre. Nous étions rendus à l'extrême limite. Si un impair avait été commis, vous étiez perdu, mon amour!

Il y eut un court silence, tandis qu'Henderson serrait plus étroitement la jeune fille contre lui, puis il fit remarquer :

— Le plus étrange, c'est que la vraie, la femme au chapeau orange, ne se soit jamais manifestée. Elle aura réussi à se cacher jusqu'au bout.

— Elle n'a aucunement cherché à se cacher, dit alors Burgess, et c'est ça qui est vraiment le plus étrange de tout.

Henderson et la jeune fille le regardèrent avec surprise :

— Qu'en savez-vous? Serait-ce que vous avez retrouvé sa trace?

— Oui, j'ai retrouvé sa trace. Et même depuis un certain temps déjà. Depuis des mois, je connais son identité.

— Mais comment... Elle était morte?

— Non, mais ça revenait pratiquement au même. Si son corps était encore vivant, son esprit était mort. Elle est dans un asile de fous, incurable.

Le policier plongea la main dans une de ses poches et en ressortit une poignée de lettres, d'enveloppes et autres papiers, parmi lesquels il se mit à chercher quelque chose, tout en continuant de parler :

— Je suis allé la voir là-bas, non pas une, mais plusieurs fois. Je lui ai parlé. A la voir, on ne croirait jamais qu'elle est démente. Elle semble simplement rêveuse, un peu vague dans ses propos. Mais sa mémoire est à jamais obscurcie. Elle ne se rappelle rien, absolument rien, même de ce qu'elle a pu faire la veille. Elle ne nous aurait été d'aucune utilité. Elle était incapable de témoigner de quoi que ce fût. C'est pourquoi il me fallait tenter à tout prix d'arriver au même résultat en m'y attaquant par l'autre bout, c'est-à-dire amener Lombard à se trahir, en le mettant en présence d'une femme qui prétendrait être celle qu'il cherchait désespérément.

— Depuis combien de temps est-elle... ?

— Elle a été internée moins de trois semaines après vous avoir rencontré. Jusqu'alors, ça n'avait été qu'intermittent, maintenant, c'est définitif.

— Et comment l'avez-vous retrouvée ?

— Oh ! tout à fait indirectement. Après son internement, on dut se débarrasser de ses vêtements et le fameux chapeau réapparut dans la vitrine d'un *décrochez-moi-ça*, où un de mes hommes le remarqua. Il avait été vendu là pour quelques *cents*, par une vieille chiffonnière qui l'avait pêché dans une poubelle. Elle nous indiqua vaguement dans quel secteur elle avait fait cette trouvaille et nous visitâmes toutes les maisons du voisinage, l'une après l'autre. Cela nous demanda plusieurs semaines, mais nous finîmes par découvrir la femme de chambre qui avait jeté le chapeau. J'interrogeai alors le mari, les membres de la famille. Personne n'était au courant de l'incident qui m'intéressait, mais j'en appris suffisamment pour me convaincre que c'était bien cette femme que vous aviez rencontrée. Il y avait déjà quelque temps qu'elle faisait des fugues de ce genre, errant au hasard des rues, et finissant par échouer dans n'importe quel hôtel. Une fois, ils l'avaient même retrouvée, à l'aube, assise sur le banc d'un square... J'ai obtenu d'eux qu'ils me donnent ceci, conclut Burgess en présentant à Henderson une photographie qu'il avait fini par dénicher au milieu de tous ses papiers.

La photographie d'une femme.

Henderson regarda longuement le cliché, puis il hocha la tête et dit doucement :

— Oui... oui, il me semble bien la reconnaître.

Carol prit brusquement l'instantané :

— Ne la regardez plus. Elle vous en a suffisamment fait comme ça ! Continuez à ne pas vous souvenir d'elle. Tenez, Mr. Burgess, reprenez cette photo !

Burgess la rangea de nouveau dans sa poche en disant :

— Ça nous a aidé quand il s'est agi de maquiller Miss Richman. Il ne s'agissait d'ailleurs que de lui donner une vague ressemblance, car Lombard ne l'avait vue que de loin, cette nuit-là, la plupart du temps de dos et à la clarté des réverbères.

— Comment s'appelait-elle ? demanda Henderson.

Carol étendit vivement la main :

— Non ! Ne le lui dites pas. Je ne veux point qu'elle nous suive. Nous allons commencer une nouvelle vie... Il ne nous faut pas de fantôme avec nous.

— Elle a raison, dit Burgess. C'est fini. Oubliez-la pour toujours.

Mais, malgré cela, dans le silence qui suivit, ils pensèrent tous trois à elle, comme ils ne pourraient s'empêcher de le faire, souvent, jusqu'à la fin de leurs vies.

Au moment de partir, avec Carol à son bras, Henderson se retourna vers Burgess :

— Je n'arrive cependant à croire que, elle et moi, nous ayons enduré pour rien tout ce que nous avons enduré. Il doit y avoir certainement quelque enseignement, quelque *morale* à tirer de cela...

Burgess lui donna une tape sur l'épaule, le poussa affectueusement vers la porte :

— La morale de cette histoire, je vais vous la donner : n'emmenez jamais d'inconnues au théâtre, à moins que vous n'ayez une excellente mémoire des visages.

PRODUCTION
EDITO-SERVICE S.A., GENÈVE

IMPRIMÉ EN ITALIE